D0493836

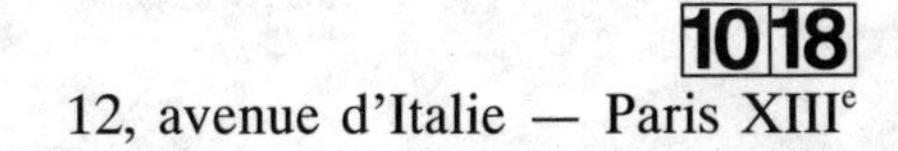

12, avenue d'Italie — Paris XIIIe

Sur l'auteur

Né à Washington D.C. en 1944, Armistead Maupin passe ses premières années en Caroline du Nord. Après avoir servi dans la marine au Viêt-nam, il s'installe à San Francisco en 1971. C'est en 1976, dans les colonnes du quotidien le *San Francisco Chronicle* – renouant ainsi avec une vieille tradition littéraire du XIXe siècle –, qu'il commence à publier ses *Chroniques de San Francisco* : elles connaissent un succès immédiat. Depuis, avec leur publication sous la forme d'une série de six romans, traduits dans toutes les langues et adaptés à la télévision, un événement local s'est transformé en véritable phénomène international. Son roman suivant, *Maybe the Moon*, est lui aussi devenu très vite un best-seller international. Il vient de publier son dernier roman, *The Night Listener*, aux États-Unis. Armistead Maupin vit et travaille toujours à San Francisco.

Pour plus d'informations, vous pouvez visiter le site Internet « 28 Barbary Lane Online » : www.talesofthecity.com

BABYCAKES

PAR

ARMISTEAD MAUPIN

Traduit de l'américain
par Pascal LOUBET

« Domaine étranger »
dirigé par Jean-Claude Zylberstein

LES ÉDITIONS PASSAGE DU MARAIS

Du même auteur
aux Éditions 10/18

Chronique de San Francisco (t. 1), n° 3164
Nouvelles chroniques de San Francisco (t. 2), n° 3165
Autres chroniques de San Francisco (t. 3), n° 3217
► Babycakes (t. 4), n° 3257
D'un bord à l'autre (t. 5), *à paraître en avril 2001*

Titre original :
Babycakes

ISBN 2-264-02992-7

Note de l'éditeur

Ce roman contient, naturellement, une multiplicité de références — pour la plupart intraduisibles — propres à la culture américaine et à l'époque des années quatre-vingt. Nous en avons volontairement gardé beaucoup — en anglais — dans l'espoir qu'une telle démarche favorise le dépaysement du lecteur et son immersion dans l'univers de San Francisco. Notre souci constant a néanmoins été de bien veiller à ce qu'elles ne constituent en aucun cas un obstacle au plaisir de la lecture.

Dans le même esprit, nous avons tenu à garder sous sa forme originale l'épigraphe choisie par l'auteur, laquelle se révèle difficilement traduisible de façon satisfaisante.

Enfin, nous remercions Colette Carrière et Tristan Duverne pour leur contribution à l'édition de cet ouvrage.

POUR CHRISTOPHER ISHERWOOD ET DON BACHARDY
ET EN SOUVENIR DE
DANIEL KATZ (1956-1982).
ET, BIEN SÛR, UNE FOIS DE PLUS POUR
STEVE BEERY

À l'attention de Lord Jamie Neidpath

Si Easley House peut présenter quelques traits de ressemblance avec Stanway House, Lord Teddy Roughton ne vous ressemble en rien. Nous le savons tous deux, et les autres aussi, maintenant.

Amitiés, A.M.

When you feel your song is orchestrated wrong,
Why should you prolong
Your stay?
When the wind and the weather blow your dreams
sky-high,
Sail away — sail away — sail away!

NOËL COWARD

Un accueil royal

Élisabeth avait cinquante-sept ans quand elle vit San Francisco pour la première fois.

Tandis que sa limousine quittait le labyrinthe de béton de l'aéroport, elle jeta par la vitre un coup d'œil à la pluie qui tombait et poussa un petit soupir pour pester contre ce temps exécrable.

— Je sais, dit le prince comme s'il lisait dans ses pensées. Mais il paraît que le ciel va s'éclaircir dans la journée.

Elle lui rendit faiblement son sourire, puis elle chercha un Kleenex dans son sac à main. Depuis qu'elle avait quitté le ranch des Reagan, elle sentait qu'elle commençait à avoir un petit rhume des foins et elle avait bien l'intention de ne pas y succomber.

Le flot des voitures s'engouffrait sur une voie plus large — leurs fameuses *freeways,* se dit-elle — et bientôt, toujours sous des trombes d'eau, ils s'engagèrent entre des rangées de motels blafards et de panneaux publicitaires d'une taille cauchemardesque. Sur sa gauche se dressait une colline sans arbres, d'un vert si peu naturel qu'on aurait pu la croire irlandaise. Quelque chose y était inscrit en pierres blanches : SAN FRANCISCO SUD — CITÉ INDUSTRIELLE.

Philip vit la tête qu'elle faisait et se pencha pour observer ces curieux hiéroglyphes.

— Étrange, murmura-t-il.
— Mmm, répondit-elle.

Elle ne pouvait qu'espérer qu'ils ne soient pas encore arrivés à la ville proprement dite. Ce quartier commercial sordide aurait très bien pu être l'équivalent de Ruislip ou de Wapping, ou de l'une de ces ignobles petites banlieues du voisinage de l'aéroport de Gatwick. Il ne fallait surtout pas qu'elle s'imagine déjà le pire.

À l'origine, elle avait prévu d'arriver à San Francisco à bord du *Britannia* — projet qui aurait impliqué de passer sous le pont du Golden Gate. Cependant, la mer s'était révélée plutôt traître lorsqu'ils étaient arrivés à Los Angeles, et les orages qui avaient déclenché des crues dans six rivières de Californie lui auraient certainement causé quelques désagréments, ses intestins lui jouant toujours des tours.

Elle avait donc opté pour une arrivée un peu moins majestueuse en avion et en automobile. Elle passerait la nuit dans un hôtel de la ville, puis regagnerait le *Britannia* lorsqu'il aurait accosté dans le port dès le lendemain. Comme elle avait environ seize heures d'avance sur le programme prévu, la soirée était entièrement libre et la simple perspective d'avoir de tels loisirs lui fit passer un curieux petit frisson d'excitation dans le dos.

Où dînerait-elle, ce soir ? À l'hôtel, peut-être ? Ou chez un hôte privé ? Décider chez *qui* n'était pas une mince affaire, étant donné qu'elle avait déjà reçu de fiévreuses invitations de la part de plusieurs rombières du coin, y compris — et là, elle frémit légèrement — de cette affreuse épouse d'un magnat du pétrole avec sa crinière échevelée.

Un instant, elle écarta la question du dîner et reporta de nouveau son attention sur le paysage. La pluie semblait s'être légèrement calmée et çà et là, dans le ciel couleur d'ardoise, quelques zones de bleu avaient commencé à percer. C'est alors que la ville surgit de nulle part : un amoncellement de boîtes à biscuits qui lui rappela vaguement Sydney.

— Regardez ! s'écria Philip.

Il désignait du doigt un éblouissant arc-en-ciel qui couronnait la ville comme un diadème.

— C'est tout à fait splendide, murmura-t-elle.

— Oui, vraiment. Les services du protocole sont encore plus perfectionnistes que je ne l'aurais cru.

Se sentant gagnée par une ivresse croissante, elle accueillit la plaisanterie par un gloussement. Il aurait semblé indiqué de commémorer ce moment en faisant de petits signes à la population, mais comme il n'y avait personne le long de l'artère principale, elle négligea cette envie et entreprit de se faire un raccord de rouge à lèvres.

Le temps que les voitures du cortège quittent l'autoroute et entrent dans une zone de hangars et de bars délabrés, la pluie était devenue une petite bruine. Au premier carrefour, la limousine ralentit solennellement et Philip lui fit signe du menton :

— Regardez là-bas, ma chère : vos premiers admirateurs !

Elle tourna légèrement la tête et fit un petit geste à une cinquantaine de personnes rassemblées au coin de la rue. Elles agitèrent les mains avec enthousiasme en brandissant une banderole en cuir noir où les mots GOD SAVE THE QUEEN avaient été inscrits en rivets argentés. Ce n'est que lorsqu'elle les entendit pousser des hourras qu'elle se rendit compte que c'étaient tous des hommes.

Philip grimaça un sourire désabusé.

— Qu'y a-t-il ? demanda-t-elle.

— Des homosexuels.

— Où cela ?

— *Mais là,* ma chère ! Sous la banderole.

Elle se retourna et vit qu'ils étaient regroupés devant un bâtiment appelé l'*Arena.*

— Ne dites pas de bêtises ! le corrigea-t-elle. Il est évident que ce sont des sportifs...

Le scoop de Mme Halcyon

Pour fêter l'arrivée d'Élisabeth II, le supermarché Safeway de la Marina avait mis en place une semaine anglaise avec muffins, margarine Imperial et soda Royal Crown. Le *Flag Store* de Polk Street avait signalé une ruée sur les Union Jacks et pas moins de trois bars de Castro s'étaient mis en devoir d'organiser des concours de sosies de « Betty Windsor ».

Tout cela et le reste avait été laborieusement couvert par Mary Ann Singleton — et un millier d'autres journalistes comme elle — durant les journées épuisantes qui avaient précédé la visite royale. Les recherches qu'avait effectuées Mary Ann sur la royauté l'avaient conduite des salons de thé de Maiden Lane jusqu'aux bars irlandais de North Beach en passant par les boulangeries des Avenues où des *chicanas* aux joues roses préparaient des *steak-and-kidney pies* pour les restaurants « anglais ».

Il n'était guère étonnant que l'arrivée de Sa Majesté fût accueillie par un profond soulagement et dans un climat d'indifférence décevant. Gênés par la pluie incessante, Mary Ann et son cameraman avaient attendu pendant presque une heure devant l'hôtel St Francis, pour finir par apprendre que la limousine royale s'était discrètement engouffrée dans le parking souterrain.

Mary Ann sauva le reportage comme elle put en faisant un compte rendu en direct depuis l'entrée du parking, puis elle rentra fourbue au 28 Barbary Lane, où elle ôta ses souliers d'un coup de pied, alluma un joint et appela son mari au travail.

Ils décidèrent de se retrouver pour aller voir *Gandhi* le soir même.

Elle réchauffait un reste de rôti de porc lorsque le téléphone sonna.

— Allô, marmonna-t-elle, la bouche pleine.

— Mary Ann ?

C'était la voix bourgeoise et précise de DeDe Halcyon Day.

— Salut, dit Mary Ann. Ne t'inquiète pas, je suis en train de me goinfrer pour oublier.

— J'ai vu ton reportage sur *Bay Window* ! s'exclama DeDe en riant.

— Génial, hein ? ironisa Mary Ann d'un ton lugubre. Très pro, non ? Avec ça, l'*Emmy Award* est dans la poche !

— Allons, allons, tu t'en es très bien sortie.

— C'est ça...

— Et on a tous adoré ton chapeau. Il était *nettement* plus joli que celui du maire. Même maman l'a dit.

Mary Ann fit une grimace que personne, hélas, n'aurait le bonheur de voir. Ce foutu chapeau était le premier qu'elle portait depuis des années et elle l'avait spécialement acheté pour la visite royale.

— Je suis contente qu'il t'ait plu, dit-elle mielleusement. Mais je trouve que c'était peut-être un peu trop pour un parking d'hôtel.

— Mais dis-moi, demanda DeDe, pourquoi n'es-tu pas là-bas ? J'étais sûre que tu irais.

— Où ça, là-bas ? À Hillsborough ?

— Au *Trader Vic's,* évidemment ! répliqua DeDe avec un petit soupir exaspéré.

La plupart des riches sont pénibles, pensa Mary Ann. Non parce qu'ils sont différents, mais parce qu'ils font semblant de ne pas remarquer la différence.

— DeDe, répondit-elle du ton le plus calme dont elle fût capable. Le *Trader Vic's* n'est pas vraiment un endroit que je fréquente.

— Oui, bon, d'accord. Mais... Tu n'as pas envie de la voir ?

— Voir *qui* ?

— Mais la reine, imbécile !

— *La reine est au* Trader Vic's *?*

Voilà qui n'avait absolument aucun sens.

— Attends, s'étonna DeDe. Ne me dis pas que tu n'es pas au courant ?

— Nom d'un chien ! Elle est là-bas ?

— Pas encore. Mais elle est en route. J'étais persuadée que ta chaîne t'aurait prévenue...

— Tu en es sûre ?

— Moi non, mais il y en a suffisamment qui le sont pour moi. Les rues grouillent de flics et le *Captain's Cabin* a des allures d'opéra un soir de première. Écoute, c'est Vita Keating qui en a parlé à maman et elle le tenait de Denis Hale, alors ça ne peut qu'être vrai.

Bien qu'encore incrédule, Mary Ann resta comme anesthésiée par cette nouvelle.

— Je croyais que la reine n'allait jamais au restaurant !

— Effectivement, acquiesça DeDe en riant. Vita a déclaré que c'était la première fois qu'elle y allait depuis dix-sept ans !

— Mon Dieu ! gémit Mary Ann.

— Quoi qu'il en soit, ajouta DeDe, nous avons une table juste à côté. Je suis avec maman, D'or et les mômes, et on adorerait que vous veniez, Brian et toi.

— Brian est au boulot, répondit Mary Ann, mais moi, je serais ravie de venir.

— Parfait !

— Est-ce qu'il y a d'autres journalistes, DeDe ? Tu as vu des gens de la télé ?

— Pas un. Si tu bouges tes fesses, tu l'auras pour toi toute seule.

Mary Ann poussa un petit cri de joie :

— Tu es un ange, DeDe ! J'arrive dès que j'aurai attrapé un taxi !

Deux secondes après avoir raccroché, elle joignit la chaîne de télé et avertit le directeur des informations. Naturellement, il se montra sceptique, mais il lui promit qu'une équipe serait immédiatement dépêchée sur les lieux. Puis elle appela un taxi, se remaquilla, remit ses chaussures et griffonna à la hâte un petit mot pour Brian.

Elle descendait d'un pas vif l'escalier bordé d'arbres de Barbary Lane, lorsqu'elle s'aperçut qu'elle oubliait quelque chose.

— Merde, murmura-t-elle en hésitant une seconde avant de rebrousser chemin précipitamment pour aller prendre son chapeau.

Alors qu'elle descendait du taxi devant l'entrée de Cosmo Place, elle s'émerveilla, comme si elle le découvrait pour la toute première fois, devant ce lieu mythique qu'était le *Trader Vic's.* En fin de compte, ce restaurant polynésien tellement couru n'était jamais qu'une cabane au toit de palmes, bâtie au fond d'une impasse non loin du *Tenderloin.* Des gens qui préféreraient mourir plutôt que d'être surpris dans le fatras exotico-kitsch du *Salon Tonga* de Nob Hill seraient en revanche prêts à tuer leur grand-mère pour jouir du privilège de s'ébattre dans un décor pourtant identique au *Trader Vic's.*

Ce soir-là, le maître d'hôtel semblait particulièrement impressionnant, mais elle l'apaisa d'une formule magique (« Mme Halcyon m'attend ! ») et se dirigea vers les banquettes situées près du bar, ce saint des saints appelé le *Captain's Cabin.* Du coin de l'œil, elle aperçut DeDe qui lui adressait un signe de main parfaitement élisabéthain.

Arrivée à la table, Mary Ann se laissa glisser sur la chaise qu'on lui avait gardée.

— J'espère que vous n'avez pas attendu que je sois là pour commander, dit-elle.

— Les boissons, seulement, précisa DeDe. C'est le zoo, ici, tu ne trouves pas ?

Mary Ann jeta un regard circulaire sur les tables voisines.

— Euh... Qui est là, en fait ?

— Tout le monde, répondit évasivement DeDe. C'est bien ça, maman ?

Mme Halcyon, qui avait perçu de l'insolence dans le ton de sa fille, préféra l'ignorer.

— Je suis ravie que vous ayez pu vous joindre à nous, Mary Ann. Vous connaissez D'orothea, évidemment... et les enfants ? Edgar, ne te mets pas les doigts dans le nez, mon chéri. Magnie te l'a répété cent fois.

Du haut de ses six ans, le gamin fit une moue boudeuse. Ses traits eurasiens et délicats, tout comme ceux de sa sœur jumelle, s'accordaient à merveille à ce décor oriental.

— Pourquoi on peut pas aller dans un fast-food ? demanda-t-il.

— Parce que la reine ne dîne pas dans les fast-foods, expliqua gentiment sa grand-mère.

D'orothea leva les yeux au ciel avec discrétion puis lança :

— En fait, c'est ce qu'elle avait prévu au départ. Mais ils n'acceptent pas de réservation pour soixante personnes.

Mary Ann laissa échapper un gloussement qu'elle ravala aussitôt lorsqu'elle remarqua l'expression de Mme Halcyon.

— Il me semble, observa la matriarche en décochant un regard assassin à la maîtresse de sa fille, qu'un peu de dignité serait de mise chez nous tous.

D'orothea baissa les yeux d'un air contrit, mais le

mépris marquait le coin de sa bouche. Elle rectifia l'alignement de sa fourchette et attendit que l'orage passe.

— Alors, reprit Mary Ann d'un ton un peu trop enjoué. À quelle heure arrive-t-elle ?

— D'une minute à l'autre, répondit DeDe. Ils vont l'installer dans le salon Trafalgar. Comme celui-ci est à l'étage et qu'il dispose d'une entrée séparée, j'imagine qu'elle va se faufiler par-derrière et...

— Je veux aller pisser ! gémit la petite Anna en la tirant par le bras.

— Anna, il me semble que je t'ai dit d'y aller avant de partir, non ?

— De plus, ajouta Mme Halcyon d'un air sincèrement horrifié, les petites filles ne prononcent pas de tels mots.

— Lesquels ? interrogea Anna d'un air perplexe.

— Pisser, expliqua son frère.

— Edgar !

La matriarche considéra son petit-fils, bouche bée, puis fit volte-face pour demander réparation à sa fille.

— Pour l'amour du ciel, DeDe... Mais explique-leur ! Ce n'est pas à moi de le faire !

— Oh, maman, ça ne vaut vraiment pas la peine de...

— Dis-leur.

— Les Français disent « pisser », renchérit D'orothea. Et puis on dit bien des « pissotières ».

DeDe se désolidarisa de la sortie de sa maîtresse en lui lançant un regard glacial et se tourna vers les jumeaux :

— Les enfants, il me semble que nous étions tombés d'accord sur le mot « pipi ».

— Oh, mon Dieu, gémit Frannie Halcyon.

Mary Ann et D'orothea échangèrent un sourire discret.

— Maman, si ça ne te fait rien...

— Mais enfin, DeDe, depuis quand ne dit-on plus « zizou » ? Quand tu étais petite, tu disais « zizou ».

— Elle continue... glissa D'or, qui eut aussitôt droit à un autre regard glacial de DeDe.

Mary Ann baissa prudemment les yeux sur la nappe, craignant que D'or n'essaie de l'enrôler dans le camp des rebelles.

— Allez, dit Mme Halcyon en se levant. Magnie va t'emmener chez les dames.

— Moi aussi ! piailla Edgar.

— Très bien... toi aussi !

Elle prit leurs petites menottes dans ses mains potelées couvertes de bijoux et disparut en trottinant dans l'obscure jungle de rotin.

D'orothea laissa échapper un grognement moqueur.

— Ne t'y mets pas, toi aussi ! l'avertit DeDe.

— Elle est de pire en pire. Je n'aurais jamais cru ça possible, mais elle devient vraiment de pire en pire.

Elle se tourna vers Mary Ann en agitant l'index en direction des toilettes.

— Cette femme vit avec sa gouine de fille, sa gouine de belle-fille et deux petits-enfants à moitié chinois dont le père est ce connard de livreur de chez Jiffy's...

— D'or...

— ... et elle continue à agir comme si on était encore au XIXe siècle et qu'elle était... cette conne de reine Victoria. Attrape-moi ce serveur, Mary Ann. Je veux un autre Mai Tai.

Mary Ann agita la main en direction du garçon, mais celui-ci s'engouffra dans les cuisines. Quand elle se retourna, les deux femmes se regardaient droit dans les yeux, comme si elle n'était pas là.

— Je n'ai pas raison ? demanda D'orothea.

— En partie, peut-être, hésita DeDe.

— En partie ? Mon cul, oui ! Cette bonne femme est en pleine régression.

— D'accord... O.K., mais c'est sa manière à elle de réagir à ce qui lui arrive.

— Ah ? Bon. Et c'est comme ça que tu expliques sa conduite tout à l'heure dans la rue ?

— Quelle conduite ?

— Oh, je t'en prie. Cette bonne femme n'a qu'une obsession, c'est de rencontrer la reine !

— Arrête de l'appeler « cette bonne femme ». Il ne s'agit pas d'une obsession, mais d'un... d'un intérêt.

— C'est ça. Ha, ha ! Un intérêt tel qu'elle a enjambé la barrière de sécurité !

— Elle n'a enjambé aucune barrière de sécurité, soupira DeDe en levant les yeux au ciel.

— Ça n'a pas été faute d'essayer, ironisa D'or. J'ai cru qu'elle allait renverser le pauvre garde du corps !

L'atmosphère s'était quelque peu détendue lorsque Mme Halcyon revint avec les enfants. Mary Ann se plia de bonne grâce à bavarder aimablement pendant une minute ou deux, puis elle recula sa chaise et sourit à la matriarche d'un air contrit :

— C'était une très gentille invitation, dit-elle, mais je crois qu'il vaut mieux que je sorte attendre l'équipe. Ils ne pourront jamais convaincre le maître d'hôtel de les laisser passer et je ne sais pas si...

— Oh, restez, ma chère ! Juste le temps d'un petit verre.

DeDe lança un regard appuyé à Mary Ann :

— Je crois que maman veut te parler de la fois où elle a été présentée à la reine.

— Ah ? fit Mary Ann en se retournant vers Mme Halcyon. Vous l'avez déjà rencontrée ?

Elle tripota nerveusement le bord de son chapeau. En s'efforçant d'être polie avec des gens plus âgés, elle s'était fait avoir plus souvent qu'à son tour.

— Elle est tout à fait charmante, entonna Mme Halcyon avec enthousiasme. Nous avons bavardé très longtemps toutes les deux, dans le jardin de Buckingham Palace. On aurait dit que nous étions deux vieilles amies.

— Quand était-ce ? demanda Mary Ann.

— Dans les années soixante, expliqua DeDe. Papa s'occupait du compte de la ligne aérienne BOAC, à l'époque.

— Ah.

Mary Ann se leva, tout en continuant à regarder Mme Halcyon d'un air très intéressé.

— Je suppose que vous allez la voir tout à l'heure, alors. Au dîner officiel, ou quelque chose comme ça...

La gaffe. Le visage de la matriarche se figea comme un masque mortuaire. Rouge de honte, Mary Ann jeta un regard désespéré à DeDe.

— Le problème, avoua celle-ci, c'est Nancy Reagan.

— On a toutes les deux le même problème ! laissa tomber D'orothea avec une grimace moqueuse.

DeDe ignora cette réflexion :

— Maman et Mme Reagan ne se sont jamais très bien entendues, expliqua-t-elle. Maman croit qu'elle a été... écartée du dîner officiel.

— *Croit ?* s'étrangla Mme Halcyon.

— Peu importe, reprit DeDe en compatissant devant la gêne de Mary Ann avec un clin d'œil entendu. Tu ferais bien de filer, non ? Allez, je vais t'accompagner jusqu'à la porte, proposa-t-elle en se levant pour faciliter la sortie de Mary Ann.

— Bonne chance, lui lança Frannie Halcyon. Et essayez d'être la plus belle.

— Merci. Au revoir, D'orothea.

— Salut, chérie. On se voit bientôt, hein ?

Pas en présence de la vieille bique ! sous-entendait-elle.

— Où elle va ? demanda Edgar à sa grand-mère.

— Elle va passer à la télé, mon chéri. Anna, mon ange, ne te gratte pas là.

— Pourquoi ?

— Peu importe pourquoi. Les jeunes filles ne font pas de telles choses.

— Les gosses ont l'air en pleine forme, dit Mary Ann. C'est incroyable ce qu'ils grandissent !

— Oui... Écoute, je suis désolée pour toutes ces histoires, déclara DeDe.

— Oh...

— D'or déteste ces situations. Tout se passe bien quand maman est seule, mais quand elle se trouve avec ses amies... soupira DeDe avec résignation. D'or les appelle les « aristo-croûtes ». Elle a gardé un côté gauchiste radicale.

Peut-être, songea Mary Ann, mais ce qui était de plus en plus difficile à se rappeler, c'était que la jolie femme en robe Zandra Rhodes et à la chevelure aux reflets cuivrés avait partagé le destin de DeDe au cœur de la jungle guyanaise. Les métamorphoses qu'avait subies DeDe, d'ex-jeune fille de bonne famille à guérillera urbaine puis à mère de famille lesbienne étaient tout aussi paradoxales, et parfois Mary Ann sentait que la gêne qu'éprouvaient les deux femmes devant les monstrueuses incohérences de leur vie était le ciment qui faisait tenir leur couple.

DeDe sourit gentiment devant l'expression de Mary Ann :

— Je n'avais pas *prévu* d'avoir une famille comme ça, tu sais.

— J'espère bien ! rétorqua Mary Ann en lui rendant son sourire.

— Anna a traité Edgar de pédé, l'autre jour. Tu imagines ?

— Mon Dieu ! Et où a-t-elle entendu ça ?

— À l'école Montessori, sûrement. Oh ! et puis zut, je ne sais pas... Souvent, je me dis que je ne maîtrise plus rien. Je ne sais même pas quoi penser du monde qui m'entoure, alors pour les enfants...

Elle se tut et regarda Mary Ann.

— Je crois qu'on va pouvoir se refiler des tuyaux sur la question, maintenant.

— Sur quoi ?

— Les gosses. Je croyais que Brian et toi aviez prévu... Mon Dieu, mais écoute-moi parler ! On dirait ma mère.

— Ne t'en fais pas.

— La dernière fois qu'on s'est vues, tu m'en avais touché deux mots...

— C'est vrai.

— Mais à cause de ta carrière, peut-être est-ce un peu difficile...

Elle laissa sa phrase en suspens, apparemment réduite au silence en se rendant compte qu'elles avaient l'air de deux ménagères en grande conversation dans un supermarché de province.

— Dis-moi de me taire, tu veux ?

Elles venaient d'atteindre la porte, au grand soulagement de Mary Ann, qui déposa à la hâte un petit baiser sur la joue de DeDe.

— Ça me fait plaisir que ça t'intéresse. Disons que... les choses sont un peu en attente pour le moment.

— Je vois.

Vraiment ? se demanda Mary Ann. Avait-elle deviné la vérité ?

La pluie claquait rageusement sur la marquise, au-dessus de l'entrée du restaurant.

— Ce sont tes gars ? demanda DeDe en désignant l'équipe.

— Ce sont eux.

Ils avaient l'air trempés et grincheux, et elle n'était pas très enthousiaste à la perspective de les tremper davantage pour les rendre encore plus grincheux.

— Merci pour le scoop ! ajouta-t-elle.

— De rien. Je te dois bien ça.

La grande question

Brian Hawkins trouva le mot de sa femme en rentrant du travail et il se rendit dans son refuge sur le toit pour attendre de la voir à la télévision. La petite maison, qui avait été sa garçonnière dans le temps, servait maintenant de salon de télé et de retraite pour tous les résidents du 28 Barbary Lane. Néanmoins, il semblait être celui qui l'utilisait le plus.

Et cela l'inquiétait parfois. Il se demandait s'il n'avait pas toutes les caractéristiques d'un accro du petit écran, le genre de type qui se défile au moindre problème et qui a besoin du tube cathodique pour remplir un vide qu'il n'est plus capable de combler tout seul. Quand Mary Ann n'était pas à la maison, on le trouvait presque toujours flottant dans les brumes bleutées et apaisantes de la télévision.

— Brian, mon petit...

La voix de Mme Madrigal le fit sursauter, car le bruit de ses pas avait été couvert par Supertramp qui chantait *It's Raining Again* sur MTV.

— Oh, salut ! dit-il avec un sourire forcé.

Elle portait un kimono vert pâle et ses cheveux ébouriffés semblaient ceindre sa tête d'une couronne de fumerolles.

Les lèvres pincées, elle considéra l'écran, où un type en sous-vêtements se frayait un chemin à travers une forêt de parapluies.

— C'est d'un goût ! ironisa-t-elle.

— Oui, vraiment...

— Je cherchais Mary Ann, reprit la logeuse.

C'était une simple constatation, mais elle donna à Brian encore davantage l'impression de n'être qu'un laissé-pour-compte.

— Il va falloir que vous attendiez votre tour, rétorqua-t-il en se retournant vers le poste.

Mme Madrigal ne répondit pas.

Il regretta immédiatement sa mesquinerie.

— Mary Ann est trop occupée par son rendez-vous avec la reine ! ajouta-t-il.

— Oh... Encore une, hein ?

— Ouais.

Elle traversa la pièce d'un pas aérien et vint s'asseoir avec lui sur le sofa.

— Ne devrions-nous pas regarder la chaîne pour laquelle elle travaille ? demanda-t-elle en posant sur lui ses grands yeux bleus indulgents.

— Elle ne sera pas à l'antenne avant un quart d'heure.

— Je vois.

Elle laissa son regard dériver au-delà de la vitre vers le fanal clignotant d'Alcatraz, comme s'il s'était agi d'un point de repère ou d'une source d'énergie. Puis elle se tourna vers lui et lui pinça gentiment le genou :

— C'est dur, hein ? commença-t-elle.

— Quoi ?

— D'être délaissé pour un média.

Il réussit à esquisser un sourire :

— Non, ce n'est pas ça. Je suis fier de ce qu'elle fait.

— Je sais.

— C'est seulement que... j'espérais passer la soirée avec elle. C'est tout.

— Je comprends...

Cette fois, ce fut lui qui regarda par la fenêtre. Une petite flaque s'était formée sur l'un des toits voisins et la surface de l'eau était criblée par l'averse. Ce n'était pas encore la nuit, mais il faisait déjà très sombre.

— Vous avez un joint ?

Elle pencha la tête de côté, fit une petite moue qui signifiait que c'était une question idiote, puis elle fourragea dans la manche de son kimono jusqu'à ce qu'elle trouve le petit étui familier en écaille. Il choisit un joint, l'alluma et le lui tendit.

— Garde-le, dit-elle.

Ce qu'il fit, sans un mot, pendant une minute, tandis que Michael Jackson gesticulait en clamant que « l'enfant n'était pas de lui » — ce qui, jugea Brian, n'était pas très difficile à croire.

— Le fait est, reprit-il enfin, que je voulais lui parler de quelque chose.

— Ah.

— Je voulais l'inviter à dîner au *Ciao*, l'emmener voir *Gandhi*, puis lui parler de la Grande Question une fois de plus.

Comme elle ne répondait pas, il scruta son visage en essayant de deviner si elle comprenait de quoi il parlait : c'était le cas. Elle comprenait et elle en était ravie. Il s'en sentit beaucoup mieux. Il avait au moins Mme Madrigal de son côté.

— Rien ne t'empêche de le faire, dit-elle enfin.

— Je ne sais pas...

— Qu'est-ce que tu veux dire ?

— Je veux dire... Ça me fout les jetons. Je ne suis pas certain que ce soit une bonne idée de m'entendre dire « non » une fois de plus. Cette fois-ci... j'aurais l'impression qu'elle refuse vraiment.

— Oui, mais si tu ne lui parles pas...

— Écoutez, à quoi ça sert ? Quand est-ce qu'elle aurait le temps, bon Dieu ? Ce qui arrive ce soir, c'est tellement typique de sa part ! Notre vie privée doit toujours passer au second plan dès que quelque part il y a un petit scoop de merde à décrocher.

— Je ne suis pas certaine que Sa Majesté apprécierait qu'on considère ainsi son séjour parmi nous, dit la logeuse avec un petit sourire.

— O.K. Peut-être pas ce soir. La reine, on peut l'excuser.

— Il me semble, oui.

— Mais Mary Ann a fait ça une dizaine de fois ce mois-ci. C'est *toujours* pareil.

— Eh bien, sa carrière est extrêmement...

— Je ne montre pas de respect pour sa carrière, peut-être ? La carrière, elle peut l'avoir tout à elle, mais le bébé, il sera tout à moi. Ça me paraît tout à fait sensé, ça !

Il avait dû hausser le ton malgré lui, car elle lui lança un regard apaisant qui l'engageait à se calmer.

— Mais mon grand, dit-elle, je suis la dernière personne que tu as besoin de convaincre.

— Je sais, excusez-moi. Je crois que j'ai testé mon petit discours sur vous.

— Ça ne fait rien.

— Ce n'est pas comme si on avait tout le temps devant nous. Elle a trente-deux ans et moi trente-huit.

— C'est le troisième âge !

— Pour faire des enfants, oui. C'est maintenant ou jamais.

Mme Madrigal frémit et lissa son kimono du plat de la main.

— Dis-moi, risqua-t-elle, quand as-tu abordé le sujet pour la dernière fois ?

Il réfléchit un instant.

— Il y a trois mois, peut-être. Et avant ça, six mois.

— Et alors ?...

— Elle répond toujours qu'il faut qu'on attende.

— Qu'on attende quoi ?

— Je vous le demande. Qu'elle soit présentatrice du journal, peut-être ? Ça serait logique. Vous avez souvent vu des présentatrices enceintes ?

— Il a bien dû y en avoir.

— Elle ne veut pas, dit-il. C'est tout. C'est la vérité que cachent toutes ses excuses.

— Ça, tu n'en sais rien.

— Mais je la connais !

Mme Madrigal scruta de nouveau l'obscurité en direction du fanal d'Alcatraz.

— N'en sois pas si sûr, insinua-t-elle.

La réplique le laissa décontenancé. Quand il la dévisagea pour essayer de comprendre, il eut l'impression qu'elle plissait le front pensivement.

— Elle vous a parlé ? Elle a abordé la Grande Question avec vous ?

— Non, répondit-elle précipitamment. Elle ne ferait jamais ça.

Il se rappela l'heure qu'il était et tendit la main vers la télécommande. À peine eut-il appuyé sur le bouton que le visage de Mary Ann apparut à l'écran : elle était postée dans une impasse, derrière le *Trader Vic's*, et arborait un sourire incongru au beau milieu d'une marée d'uniformes bleus.

— Mon Dieu, fit Mme Madrigal d'un air ravi. N'est-elle pas tout simplement parfaite ?

Elle est même mieux que ça, pensa Brian. Un flot d'affection pure le submergea. Il sourit fièrement à l'image de sa bien-aimée pendant quelques instants, puis il se retourna vers sa logeuse.

— Dites-moi la vérité...

— Compte sur moi.

— Est-ce qu'elle a l'air de quelqu'un qui veut avoir un enfant ?

Le front de Mme Madrigal se plissa de nouveau et elle étudia longuement le visage de Mary Ann.

— Eh bien, commença-t-elle en tapotant sa lèvre du bout de l'index. C'est difficile de juger, avec un chapeau pareil.

Volontaire

Michael Tolliver avait passé l'heure de pointe dans le quartier de Castro, ce moment où les jeunes hommes qui travaillent dans les banques rentrent chez eux retrouver les jeunes hommes qui travaillent dans les bars. Assis derrière les vitres du *Twin Peaks*, il les regardait se déverser de la bouche du métro Muni en un flot incessant qui ne s'arrêtait que le temps qu'ils ouvrent leurs parapluies sous la pluie battante. Leurs visages avaient l'air hagard et désorienté de prisonniers émergeant d'un tunnel dans la lumière de la liberté.

Il termina son eau minérale Calistoga et quitta le bar, puis il donna trois dollars à un type qui vendait des parapluies au coin de la rue. Il avait perdu le sien, mais trois dollars, ce n'était rien du tout et le fait qu'ils se déploient quand on appuyait sur un bouton lui plaisait. Et puis, un parapluie, c'était quelque chose à quoi il n'y avait aucune raison de s'attacher sentimentalement.

S'étant décidé à aller manger une pizza à la *Sausage Factory*, il descendit Castro Street en passant devant le cinéma et les boutiques de croissants, cookies et cartes postales. Alors qu'il traversait la 18e Rue, un clochard surgit au carrefour en hurlant « Retourne au Japon ! » à l'adresse d'une Noire élégante au volant de sa Mitsubishi. Michael croisa son regard et sourit. Elle le récompensa par un haussement d'épaules aimable, forme commune de télépathie sociale qui semblait signifier : « Encore un qui est perdu pour tout le monde, apparemment ! » Il y avait des jours, songea-t-il, où c'était tout ce que l'on pouvait espérer trouver comme signe d'humanité : un regard désolé et indulgent entre survivants.

La *Sausage Factory* était un endroit si chaleureux et si confortable qu'il se sentit déraisonnable et se commanda un pichet de rouge. Le temps que l'alcool fasse son effet, ce qui avait commencé comme un vague flirt avec les souvenirs avait dégénéré en auto-apitoiement pleurnichard. Pour se changer les idées, il examina l'habillage malheureux de chacun des murs, mais il ne réussit qu'à fixer son regard sur un panneau qui disait : NE RESTE PAS LÀ COMME UNE GOURDE — ENGUEULE TON MARI. Et quand le serveur arriva avec sa pizza, Michael avait le visage baigné de larmes.

— Euh... Ça va, mon chou ? s'entendit-il demander.

Michael s'essuya prestement les joues avec sa serviette et prit l'assiette.

— Oui, oui, ça va. Oh, ça a l'air bon !

Le serveur ne s'en laissa pas conter. Il resta un moment les bras croisés, puis il approcha une chaise et s'assit en face de Michael.

— C'est ça, dit-il. Et si tu vas bien, moi je m'appelle Joan Collins !

Michael lui sourit. Il ne pouvait pas s'empêcher de repenser à une serveuse qu'il avait connue à l'époque d'Orlando. Elle aussi l'avait appelé « mon chou », avant même de faire sa connaissance. Le serveur portait un gilet en cuir et une manille avec des clés accrochée à son Levi's, mais il abordait les inconnus exactement de la même façon.

— Encore une sale journée ? demanda-t-il.

— Encore une sale journée, convint Michael.

Le serveur secoua lentement la tête.

— Et nous voilà du mauvais côté de la ville, alors que Betty dîne au *Trader Vic's* !

Le sang de Michael ne fit qu'un tour :

— Bette *Davis* ? s'exclama-t-il.

— J'aurais bien aimé ! dit le serveur en riant. Non, Betty II, mon chou : la reine !

— Oh.

— Ils lui ont apporté un petit gâteau chinois avec un horoscope à l'intérieur... *et elle ne savait même pas ce que c'était !* Tu te rends compte ?

Michael gloussa :

— Et tu ne sais pas ce que disait l'horoscope, par hasard ?

— Euh...

Le serveur traça les mots dans le vide.

— Vous... allez... recevoir... une... grosse... somme... d'argent.

— C'est ça. À d'autres!

— Promis-juré, dit le serveur en levant les mains en l'air. Nancy Reagan a eu le même.

Michael avala une gorgée de vin. Le type était sympa, mais ce qu'il racontait avait l'air suspect.

— D'où tiens-tu ça?

— De la télé, dans la cuisine. Mary Ann Singleton a couvert l'événement toute la soirée.

— Sans blague?

Bravo! songea-t-il, *ça marche pour elle.*

— C'est une copine à moi.

Elle aurait été furieuse qu'il s'en soit vanté.

— Eh bien, dis-lui qu'elle est super! Au fait, ajouta le serveur en tendant la main, je m'appelle Michael.

— Pareil.

— Michael aussi?

— Eh oui!

Le serveur leva les yeux au ciel.

— Parfois, soupira-t-il, je me dis que la moitié des pédales du monde entier s'appellent Michael. Où est-ce que les gens sont allés pêcher qu'on s'appelait tous Bruce?

Il se leva brusquement, se souvenant qu'il était de service.

— Bon, à bientôt, mon chou. On se reverra peut-être. Tu travaillerais pas dans le coin, par hasard?

— Non, pas d'habitude. Mais cet après-midi, c'est le cas.

— Où ça?

— En face. Je réponds au téléphone.

— Ah ouais? J'ai un copain, Max, qui y a travaillé pendant un moment. Il m'a dit que c'était épuisant.

— Ça l'est.

— Il y avait un type qui appelait tous les deux jours

quand sa mère était partie à son cours d'aérobic. Il voulait toujours que Max lui fasse le... Enfin, tu vois : le trip routier, quoi ! Max me racontait que ça lui prenait des heures, au mec, avant de jouir et qu'il répétait constamment la même chose : « Ouais, c'est ça, fous-moi des coups de bite dans la gueule ! » Bon, c'est bien beau, mais comment tu fais pour foutre des coups de bite dans la gueule d'un mec *par téléphone* ?

— Oui, mais ce n'est pas là que je bosse, dit Michael qui sentit un sourire poindre sur ses lèvres.

Le serveur cligna des yeux :

— C'est pas le téléphone rose, alors ?

— Non : SOS-Sida.

— Oh !

Le serveur porta sa main à sa bouche.

— Oh, merde : je suis vraiment un con !

— Mais non...

— Il y a une boîte comme ça au-dessus de la nouvelle banque et j'ai cru... Mince, je me sens bête.

— Faut pas, dit Michael. Moi, je trouve ça marrant, au contraire.

Le visage de l'autre Michael exprima de la gratitude, puis quelque chose qui ressemblait beaucoup à de la gêne. Michael savait très bien ce qu'il pensait.

— Je ne l'ai pas chopé, expliqua-t-il. Je suis simplement un bénévole qui répond au téléphone.

Un long silence s'installa. Quand le serveur reprit la parole, ce fut d'une voix nettement plus discrète :

— Le mec de mon ex en est mort le mois dernier, confia-t-il.

Exprimer des condoléances lui semblant mal venu, Michael se contenta de hocher la tête.

— Ça me fout vraiment les jetons, poursuivit le serveur. J'ai complètement arrêté d'aller draguer sur Folsom Street. Je ne vais plus que dans les bars bon chic bon genre, maintenant.

Michael aurait bien voulu lui dire que le virus se

fichait bien du cachemire, mais il avait les nerfs trop fatigués pour se lancer dans une autre séance de conseils. Il avait déjà passé cinq heures à parler à des mecs qui avaient été plaqués par leur copain, jetés dehors par leur propriétaire ou refusés dans les hôpitaux de la ville. Pour le reste de la soirée, juste pour le reste de la soirée, il voulait oublier...

Du mal à croire

Il était presque minuit lorsque Mary Ann rentra chez elle. Un hiver pluvieux ayant laissé une écume verdâtre sur l'escalier de bois de Barbary Lane, elle le gravit avec prudence en se tenant fermement à la rampe jusqu'au moment où elle sentit le contact rassurant des feuilles d'eucalyptus sous ses pieds. En arrivant devant le portail du 28, elle remarqua qu'il y avait encore de la lumière chez Michael. Pour une obscure raison, cela l'inquiéta et éveilla chez elle un instinct qu'on aurait pu qualifier de maternel.

Elle hésita sur le palier du premier étage, puis elle gratta à la porte. Il apparut un instant plus tard, ébouriffé et tout ensommeillé.

— Oh, salut ! dit-il en se passant une main dans les cheveux.

— Tu ne dormais pas, j'espère ?

— Non, j'étais simplement allongé. Entre.

— Aurais-tu vu mon petit coup de maître, par hasard ? demanda-t-elle en franchissant la porte.

— Non, mais on m'en a parlé après. Tout le monde ne parlait que de ça dans Castro.

— C'est vrai ?

L'inflexion de sa voix était un peu enfantine et empressée, mais elle avait un immense besoin d'être rassurée. Elle redoutait de s'être montrée maladroite et scolaire.

— Ils disaient quoi, alors ?

— Qu'est-ce que tu aimerais précisément qu'ils aient dit ? demanda-t-il avec un sourire endormi.

— Mouse !

Après sept ans d'amitié, elle ne savait toujours pas quand il blaguait.

— Calme-toi, Babycakes. À la pizzeria, mon serveur débordait de louanges sur ton compte !

Il recula d'un pas et la toisa du regard.

— Je m'étonne qu'il n'ait pas mentionné ton chapeau, cela dit.

Cette remarque la refroidit instantanément.

— Qu'est-ce qu'il a, mon chapeau ?

— Rien.

Il continua à l'examiner avec une expression énigmatique pour la taquiner.

— Mouse...

— Il est très bien, ce chapeau !

— Mouse, si toutes les folles de la ville rigolaient de mon chapeau, j'en mourrais. Tu piges ? J'irais me réfugier sous la première pierre venue et je me laisserais mourir.

Il reprit son sérieux.

— Il est splendide. *Tu* es splendide. Allez, assieds-toi et raconte-moi tout.

— Je ne peux pas. Je voulais juste passer et... te faire coucou, quoi.

Il la considéra un instant, puis il se pencha et déposa un petit baiser sur ses lèvres.

— Coucou, fit-il.

— Ça va ? demanda-t-elle.

Du bout du doigt, il traça un petit cercle dans le vide, en lui souriant piteusement.

— Moi aussi, dit-elle.

— C'est à cause de la pluie, sûrement.

— Sûrement.

Ce n'était pas du tout à cause de la pluie et ils le savaient très bien l'un et l'autre. Mais la pluie faisait un sujet de conversation plus facile.

— Eh bien... reprit-elle en désignant la porte du menton, Brian doit commencer à se dire que je suis perdue corps et biens.

— Attends. J'ai quelque chose pour lui.

Il fila dans la cuisine et en revint deux secondes plus tard avec une paire de patins à roulettes.

— C'est du dix et demi. C'est bien sa taille ?

Elle regarda les patins et sentit le chagrin la submerger à nouveau.

— Je les ai trouvés sous l'évier, expliqua Michael en évitant de la regarder. Je les avais donnés à Jon pour Noël, il y a deux ans, et j'avais complètement oublié où il les avait rangés. Hé... Pas de ça maintenant, O.K. ?

Elle essayait vainement de ravaler ses larmes.

— Excuse-moi, Mouse. Ce n'est pas sympa pour toi, mais... Parfois, tu sais, ça revient sournoisement, sans... Oh, merde !

Elle s'essuya rageusement les yeux.

— Mais quand est-ce que ce sera fini, bordel ?

Michael restait planté devant elle, les patins serrés contre sa poitrine, le visage ravagé par le chagrin.

— Oh, Mouse, excuse-moi. Je suis conne !

Incapable de répondre, il hocha la tête pour lui pardonner tandis que les larmes inondaient ses joues. Elle s'empara des patins et les posa par terre puis le prit dans ses bras et lui caressa les cheveux.

— Je sais, Mouse... Je sais, bébé. Ça passera. Tu verras.

Elle avait elle-même du mal à y croire. Jon était mort depuis plus de trois mois, mais elle en souffrait aujourd'hui plus que jamais. Prendre ses distances vis-à-vis d'une tragédie, c'était en fait en mesurer vraiment toute l'ampleur.

Michael se dégagea.

— Alors... proposa-t-il, qu'est-ce qu'elle dirait d'un chocolat, la reine des médias ?

— Super.

Tandis qu'il le préparait, elle s'assit à la table de la cuisine. La photo de Jon et Michael à une soirée d'Halloween à Half Moon Bay était encore fixée au réfrigérateur par un aimant en forme de coquillage. Détournant les yeux, elle s'ordonna de ne pas pleurer. Elle avait assez fait de dégâts comme ça pour ce soir.

Quand le chocolat fut prêt, Michael choisit une tasse bleue et la posa sur une soucoupe grise. Il fronça les sourcils un moment en considérant ce choix, puis il remplaça la soucoupe grise par une rose. Mary Ann observa ce petit rituel et sourit de son excentricité.

Michael surprit sa réaction.

— Ces choses-là sont importantes, précisa-t-il.

— Je sais, dit-elle en souriant.

Il choisit ensuite une tasse jaune et la posa sur la soucoupe grise avant de gagner la table.

— Je suis content que tu sois passée, avoua-t-il.

— Merci. Moi aussi.

Tandis qu'ils buvaient leur chocolat à petites gorgées, elle lui raconta la soirée, avec l'incident entre DeDe et Mme Halcyon, son équipe renfrognée, les policiers désagréables et les quelques instants où elle avait pu voir la reine de ses propres yeux. La souveraine lui avait semblé irréelle, expliqua-t-elle, et en même temps complètement familière. Comme la Blanche-Neige de Disney se promenant parmi le commun des mortels.

Elle demeura en sa compagnie assez longtemps pour le faire rire aux éclats plusieurs fois, puis elle lui souhaita bonne nuit. Quand elle rentra chez elle, Brian n'était pas là. Elle posa les patins dans le salon et monta jusqu'à la petite maison sur le toit. Et là, comme d'habitude, elle trouva son mari endormi devant MTV.

Elle s'agenouilla près du sofa et posa doucement une main sur sa poitrine.

— Alors ? chuchota-t-elle. Faut choisir : Pat Benatar ou moi ?

Il s'ébroua en se frottant les yeux.

— Alors ? insista-t-elle.

— Je réfléchis.

Elle caressa les poils de sa poitrine en suivant leur implantation naturelle.

— Excuse-moi d'avoir manqué notre rendez-vous.

— Bah... fit-il avec un sourire endormi.

— Tu m'as vue ?

— Oui. Mme Madrigal et moi t'avons regardée ensemble...

Elle attendit la suite.

— Tu as été géniale, finit-il par avouer.

— Tu ne dis pas ça pour me faire plaisir ?

Il se souleva légèrement sur les coudes et se frotta de nouveau les yeux.

— Je ne dis jamais les choses pour faire plaisir.

— Bon... Le coup de l'horoscope était très bien trouvé, si je peux me permettre. Évidemment...

Elle fut réduite au silence quand il l'attrapa pour l'attirer à lui sur le sofa.

— Tais-toi, ordonna-t-il.

— Avec plaisir.

Elle l'embrassa longuement et passionnément, avec une sorte de férocité, en tout cas autant de passion que sa journée avait été épuisante. Plus sa vie devenait publique, plus elle savourait ces moments d'intimité.

En quelques secondes, Brian avait saisi le bas de sa jupe en tweed et l'avait soulevé. Puis, la prenant doucement dans ses bras, il la suréleva avec un coussin et se mit à lui embrasser un genou. Elle se sentit vaguement ridicule.

— Descendons, chuchota-t-elle.

— Pourquoi ? demanda-t-il en se détournant un instant de son projet.

— Eh bien... Pour que j'enlève ce chapeau, déjà.

Une expression puérile passa sur son visage, puis il chuchota :

— Surtout, garde-le !

Il baissa de nouveau la tête et elle sentit ses joues râpeuses accrocher son collant tandis qu'il insinuait sa langue entre ses cuisses.

— C'est quoi, ce délire ? Tu t'imagines que tu te fais Evita ?

Il éclata d'un rire qui enveloppa Mary Ann d'une vague de chaleur et il fit glisser son collant d'un seul mouvement expert. Elle noya ses doigts dans les cheveux bouclés de Brian et dirigea son beau visage mâle dans son entrejambe, chaleur contre chaleur, moiteur contre moiteur. En gémissant, elle cambra ses reins et se laissa glisser dans le sofa. Dans des moments pareils, jugea-t-elle, le ridicule est la dernière chose qui importe.

C'est seulement quand ils regagnèrent l'appartement qu'elle retira enfin son chapeau.

— Les patins sont un cadeau de Mouse, dit-elle en essayant de prendre un ton désinvolte.

— Quels patins ? demanda-t-il, assis en caleçon sur le rebord du lit.

— Dans le salon.

Elle évita son regard en faisant semblant de ranger soigneusement le chapeau dans sa boîte.

Il se leva et sortit de la chambre. Il resta tellement longtemps dans le salon qu'elle cessa de se brosser les cheveux et alla le chercher. Il était assis dans le fauteuil, le regard dans le vague, les patins posés à ses pieds. Il leva les yeux vers elle.

— Ils étaient à Jon, n'est-ce pas ?

Elle acquiesça, sans s'approcher.

Il secoua lentement la tête, avec un pauvre sourire.

— Mon Dieu, murmura-t-il en chassant une poussière imaginaire sur le bras du fauteuil. Et Michael, ça va ?

— Ça va.

Il baissa les yeux vers les patins.

— Il pense à tout, hein ?

— Mmm, mmm.

Elle s'approcha du fauteuil et vint s'asseoir à ses pieds. Il lui caressa machinalement les cheveux sans rien dire pendant un long moment.

— Aujourd'hui, j'ai failli perdre mon boulot, lâcha-t-il enfin.

— Quoi ?

— Du calme. Je ne l'ai pas perdu. J'ai tout arrangé.

— Qu'est-ce qui s'est passé ?

— Oh... j'ai foutu un coup de poing à un mec.

— Brian...

Elle essaya de ne pas se poser en juge, mais ce n'était pas la première fois que cela arrivait.

— Ne t'inquiète pas, la rassura-t-il. Ce n'était pas un client : juste le nouveau serveur, Jerry.

— Je ne le connais pas.

— Mais si : celui qui s'habille en minet.

— Ah, d'accord, je vois...

— Il n'a pas arrêté de râler toute la journée sur tout et n'importe quoi. Puis il m'a vu manger une frite dans une assiette qui revenait en cuisine et il m'a sorti : « Putain, mec, t'es bon pour le cimetière ! » Je lui ai demandé ce qu'il voulait dire et il m'a répondu : « C'était l'assiette d'une pédale, andouille. Maintenant, tes jours sont comptés ! »

— Bravo...

— C'est pour ça que je lui en ai flanqué une.

Elle se tordit le cou pour le regarder dans les yeux :

— Tu penses vraiment que c'était indispensable ?

— En tout cas, ça m'a fait un immense plaisir.

— Brian... Ils t'ont pourtant averti que si ça se reproduisait...

— Je sais, je sais...

Elle se tut. Ces scènes à la John Wayne de pacotille

étaient simplement l'expression de la frustration qu'éprouvait Brian dans ce travail morne qui n'exigeait rien de lui. Si elle n'y prêtait pas garde, il utiliserait sa réprobation comme une excuse pour lui rappeler que la paternité était le seul boulot qui lui importait.

— Tu n'as jamais lu *1984* ?

— Si, il y a des années. Pourquoi ? demanda-t-elle, inquiète.

— Tu te souviens du gars, dans le roman ?

— Vaguement.

— Tu sais ce qui me revient le mieux ?

Elle se tortilla, mal à l'aise :

— Je ne sais pas, non. Ils lui mettent des rats sur le visage, c'est ça ?

— Il avait quarante ans.

— Et alors ?

— Moi, j'en avais seize, quand je l'ai lu, et je me suis dit que le type était sacrément vieux. Après, je me suis rendu compte que j'aurais quarante ans moi aussi en 1984 et j'étais incapable d'imaginer ce que ça me ferait. Eh bien, ça y est... 1984 est presque arrivé.

Elle considéra un instant l'expression de son visage, puis elle prit la main qui reposait sur son genou et l'embrassa.

— Je croyais qu'on était d'accord sur le fait qu'une seule ménopause dans le ménage était plus que suffisante.

Il hésita avant de répondre, puis il éclata de rire.

— O.K., d'accord... Un partout.

Elle senti que la crise était passée. Il semblait se rendre compte que le moment n'était pas bien choisi pour aborder le sujet et elle lui fut plus que reconnaissante de ce répit.

Quand Michael descendit pour le petit déjeuner, la cuisine de Mme Madrigal sentait le café fumant et le bacon grillé. La pluie qui cinglait les hautes fenêtres à croisées au-dessus de l'évier ne faisait que renforcer l'impression de confort qui séduisait le moindre visiteur. Michael s'assit à la petite table laquée de blanc et renifla l'air.

— Ce café est un don du ciel, dit-il.

— C'est du moka arabica, répondit-elle. Le roi des cafés, l'équivalent de la « sinsemilla » pour la marijuana.

Elle déchira un morceau de papier absorbant et y disposa les tranches de bacon.

Il gloussa, mais seulement parce qu'il avait tout à fait compris ce qu'elle voulait dire. S'il était vraiment accro à l'herbe — et il lui arrivait parfois de le penser —, cette curieuse sexagénaire avec ses vieux kimonos était la « bonne fée » qui avait guidé ses pas sur le sentier. Il aurait pu tomber plus mal.

Elle le rejoignit à la table en apportant deux tasses de café.

— Mary Ann s'est levée incroyablement tôt, s'étonna-t-elle.

— Elle est à Silicon Valley, expliqua-t-il. M. Packard fait visiter la région à la reine.

— M. Packard ?

— Monsieur Ordinateurs. Notre ancien secrétaire adjoint à la Défense.

— Ah. Pas étonnant que j'aie oublié !

Il lui sourit, puis souleva sa tasse et souffla sur son petit nuage brûlant.

— Il va offrir un ordinateur à la reine.

— Qu'est-ce qu'elle va faire avec ? demanda Mme Madrigal, interloquée.

— Il paraît que ça peut servir pour l'élevage des chevaux.

— Sans rire ?

— Je sais... Je ne vois pas comment non plus.

Elle sourit à son tour, puis but une gorgée de café avant de reprendre :

— Tu n'as pas de nouvelles de Mona ?

C'était une vieille blessure, mais elle l'élançait autant que si elle avait été toute fraîche.

— J'ai arrêté de m'en soucier, reconnut Michael.

— Allons, allons...

— Ça ne sert à rien. Elle a coupé les ponts avec nous. On n'a même pas eu droit à une carte, madame Madrigal. Je ne lui ai pas parlé depuis au moins... un an et demi.

— Peut-être qu'elle croit que nous sommes fâchés.

— Arrêtez. Elle sait où nous sommes. C'est arrivé, point final. Les gens suivent des voies différentes. Si elle voulait avoir de nos nouvelles, elle laisserait paraître son numéro dans l'annuaire, par exemple.

— Je sais ce que tu penses.

— Quoi ?

— Qu'il n'y a qu'une vieille folle pour se tourmenter à propos d'une grande fille qui va sur ses quarante ans.

— Pas du tout. Je pense plutôt que c'est votre fille de quarante ans qui devient une vieille folle.

— Mais, chéri... Et s'il y avait *vraiment* un problème ?

— Eh bien, répliqua Michael, vous avez eu des nouvelles plus récentes que les miennes.

— Il y a huit mois, commença la logeuse, le front plissé. Sans adresse d'expéditeur. Elle disait qu'elle réussissait « dans une petite affaire de presse » — comprenne qui pourra. Être aussi vague, ce n'est pas son genre.

— Ah bon ?

— Disons... Pas de cette façon, mon petit.

Quand Mona avait déménagé pour Seattle au début de la décennie, Michael l'avait suppliée de ne pas partir. Mais Mona s'était montrée inflexible. Seattle était la ville des années quatre-vingt. « Alors, vas-y, avait-il raillé. Tu aimes les Quaalude... Tu raffoleras de Seattle. » Et apparemment il avait eu raison : Mona n'était jamais revenue.

Mme Madrigal voyait bien que cela le préoccupait encore.

— Ne lui en veux pas, Michael. Elle a peut-être des ennuis.

Ça, ce ne serait pas nouveau, pensa ce dernier. Aussi loin qu'il se souvînt, son ancienne colocataire avait toujours été au bord d'une effroyable catastrophe.

— Je vous l'ai dit, reprit-il d'un ton calme. Je n'y pense pas tellement, ces derniers temps.

— Si nous pouvions lui dire, pour Jon...

— Seulement nous ne pouvons pas. Et je doute que nous le puissions jamais. Elle a clairement fait comprendre qu'elle...

— Elle adorait Jon, Michael. Je veux dire... Ils se chamaillaient un peu, peut-être, mais elle l'adorait autant que nous tous. Tu ne dois jamais en douter... Jamais.

Elle se leva et se mit à casser des œufs dans un bol. Ils savaient l'un comme l'autre qu'il n'y avait rien à gagner à poursuivre sur le sujet. Ils auraient beau regretter et espérer, cela ne changerait rien. Quand Mona était partie vers le Nord, elle avait laissé bien plus que la ville derrière elle. Redémarrer de zéro était bien le seul de ses talents sur le plan relationnel.

Mme Madrigal semblait partager son point de vue.

— J'espère qu'elle a quelqu'un, murmura-t-elle. N'importe qui.

Il n'y avait rien à ajouter. Avec Mona, cela pouvait effectivement être n'importe qui.

Sur le chemin de son travail, il essaya de ne pas penser à elle en se concentrant sur la déchirure de la capote de sa Volkswagen. Un voleur d'autoradios l'avait fendue trois semaines plus tôt et le morceau de rideau de douche avec lequel il l'avait réparée fuyait tellement qu'il fallait le bricoler à la moindre averse. Pas étonnant que la voiture eût commencé à empester le terrarium mal entretenu. Il avait même découvert une petite pousse d'herbe sur le tapis de sol moisi, au pied de la banquette arrière.

Quand il fut arrivé aux Verts Pâturages, comme la pluie tombait encore plus fort, il arrangea tant bien que mal le pansement de la capote et se rua dans le bureau. Ned était déjà là, vautré dans son fauteuil, ses grosses mains velues croisées sur son crâne chauve.

— C'est chiant, ce trou, hein ?

— Une horreur ! répondit Michael en s'ébrouant comme un chien trempé. La bagnole commence à développer son propre écosystème.

Il scruta l'extérieur par la vitre embuée. Les primevères s'étaient dissoutes dans un brouillard impressionniste.

— Mince ! On ferait bien de mettre une bâche ou un autre truc.

— À quoi bon ? demanda Ned sans faire un mouvement.

— Les semis de plates-bandes ! Elles sont en train d'en voir de toutes les couleurs...

Son associé esquissa un petit sourire stoïque.

— Tu as jeté un œil sur les commandes, ces derniers temps ? On ne peut pas dire que les gens courent après les primevères.

Il avait raison, bien sûr. La pluie était loin d'avoir arrangé leurs affaires.

— Oui, mais quand même ! Tu ne crois pas que... ?

— Laisse pisser, dit Ned. On n'a qu'à raccrocher.

— Quoi ?

— On n'a qu'à fermer pendant un mois. Ça ne nous fera pas de mal. Ça ne peut pas être pire que ça ne l'est déjà.

Michael s'assit et le dévisagea.

— On va faire quoi, alors ?

— Eh bien... Qu'est-ce que tu dirais d'un petit tour dans la Vallée de la Mort ?

— C'est ça...

— Je suis sérieux.

— Ned... *La Vallée de la Mort ?*

— Est-ce que tu y es déjà allé, au moins ? C'est un vrai paradis. On pourrait partir à six ou huit mecs, camper, prendre des « champignons magiques », tu vois ce que je veux dire... Et la flore va être superbe, après toute cette pluie.

Michael n'était guère emballé :

— Après, oui, précisa-t-il, mais pendant ?

— On aura des tentes, chochotte. Allez... Juste pour un week-end ?

Michael aurait été incapable d'expliquer sa panique à la perspective d'une telle période d'oisiveté. Il avait besoin, en ce moment, d'une routine quotidienne, besoin de se raccrocher à des habitudes. La dernière chose dont il avait envie, c'était d'avoir du temps pour réfléchir.

Ned tenta une autre approche.

— Je n'essaie pas de te marier. On sera juste une bande de copains.

Michael ne put s'empêcher de sourire. Ned essayait constamment de le marier.

— Non, merci. Vas-y, toi. Je garderai la boutique. Je préfère. Vraiment.

Ned le considéra pendant un moment, puis il se leva d'un bond et entreprit de ranger les sachets de semences sur le tourniquet. Michael y vit une réaction défensive.

— Tu fais la gueule ?

— Nan.

— En ce moment, je ne suis pas dans mon assiette, Ned.

Son associé s'interrompit dans sa tâche.

— Si tu veux mon avis... une bonne petite séance de *jack-off* te ferait un bien fou.

— Ned...

— O.K. D'accord. J'insiste pas. J'aurai au moins essayé de faire ma BA de la journée.

— Bon...

— Mais j'y vais quand même, moi ! Si tu veux rester ici à regarder les plantes pourrir, à ton aise.

— Très bien.

Ils n'eurent pas grand-chose à se dire durant l'heure suivante et ils s'occupèrent de tâches d'entretien mineures, impossibles à faire lorsqu'il y avait des clients. Après que Ned eut terminé d'empiler les palettes dans la réserve, il revint dans le bureau et retrouva Michael au comptoir.

— J'avais envie qu'on soit tous les deux, tu sais. Je ne faisais pas ça par politesse.

— Je sais.

Michael leva les yeux et sourit. Ned lui ébouriffa les cheveux et se saisit de son blouson de cuir.

— Je serai chez moi, si tu changes d'avis. Rentre aussi, au moins. Ce n'est pas la peine de traîner ici.

Michael finit par rentrer et passa le reste de l'après-midi à trier son linge sale et à nettoyer le réfrigérateur. Il cherchait ce qu'il allait bien pouvoir faire ensuite, lorsque Mme Madrigal l'appela juste avant cinq heures.

— Tu es libre pour le dîner, j'espère ?

— Pour l'instant, oui.

— Merveilleux. J'ai découvert un tout nouveau restaurant mexicain. Je veux qu'on y aille tous. Cela fait des siècles que nous ne nous sommes pas offert une petite sortie en famille.

Il accepta, tout en se demandant si cette expédition n'était pas organisée tout exprès pour le distraire. Ces derniers temps, ses amis s'étaient montrés affreusement pleins de sollicitude et il se sentait souvent obligé de faire bonne figure en leur présence. La joie retrouvée qu'ils cherchaient à lire dans ses yeux était quelque chose qu'il serait toujours incapable de feindre.

La découverte mexicaine de Mme Madrigal s'avéra être une sorte d'antre au fond d'une impasse, non loin du Moscone Center. Pour des raisons qu'aucun d'eux ne put s'expliquer, l'endroit s'appelait le *Cadillac Bar*. Son ambiance kitsch à la Lupe Velez reçut l'approbation de chacun et tout le monde engloutit ses margaritas comme des VRP en goguette pendant un séminaire à Acapulco.

C'était peut-être à cause de l'alcool, mais Michael trouva que l'attitude de Mary Ann avait quelque chose de bizarrement artificiel. Elle s'accrocha au bras de Brian pendant presque toute la durée du dîner, riant un peu trop fort à la moindre de ses blagues, plongeant voluptueusement ses yeux dans les siens, avec un air énamouré que Michael ne lui avait jamais vu. Lorsque son regard croisa celui de Michael l'espace d'une seconde, elle sembla s'apercevoir de sa perplexité.

— Cet endroit est génial ! lança-t-elle d'un ton un peu trop enjoué. On devrait tous jurer qu'on ne donnera jamais l'adresse.

— Trop tard, rétorqua-t-il en répondant à sa tentative de diversion par une autre, mais de son cru. Regarde qui vient d'entrer !

Mary Ann et Brian tournèrent vivement la tête vers la porte.

— Pas *maintenant* ! chuchota Michael.

— Mais tu nous as dit de regarder, se plaignit Mary Ann.

— C'est Theresa Cross, murmura-t-il. Avec une des pédales de chez Atari.

— Mince ! fit Brian. La veuve de Bix Cross ?

— Gagné.

— Elle est sur toutes les pochettes de ses albums, poursuivit-il.

— Uniquement certaines parties de son anatomie ! corrigea Mary Ann.

— Plutôt, oui ! acquiesça Brian avec un regard gourmand.

Une expression perplexe passa sur le visage de Mme Madrigal.

— Son mari était chanteur ?

— Mais oui, vous savez bien, expliqua Michael. La rock-star !

— Ah.

— Elle a écrit *Ma Vie avec Bix,* ajouta Mary Ann. Elle habite Hillsborough, près de chez les Halcyon.

La logeuse écarquilla les yeux :

— Eh bien, mes enfants, elle a l'air de se diriger de ce côté-ci.

Michael détailla la silhouette tout en jambes, qui avançait d'un pas décidé vers leur table. Il n'y avait probablement aucun artifice dissimulé sous ses boucles sombres, mais le désordre très apprêté de cette coiffure genre « bagarre dans une meule de foin » signifiait clairement qu'il y en avait peut-être un. Ce détail et les faux ongles rouges furent tout ce qu'il put noter avant que la veuve rock'n'roll ne fonde sur eux, environnée des effluves écœurants et douceâtres d'Ivoire.

— Vous ! hurla-t-elle. Vous, je veux vous parler.

Une griffe carmin était pointée sur Mary Ann.

Celle-ci s'éclaircit la gorge et articula un : « Oui ? »

— Vous êtes la meilleure ! croassa Theresa. La meilleure, la meilleure, la meilleure !

Mary Ann rougit violemment.

— Merci beaucoup, dit-elle.

— Je vous regarde à chaque fois. Vous êtes Mary Jane Singleton.

— Mary Ann.

Mme Cross s'en fichait complètement.

— Ce chapeau était le mieux. Le mieux, le mieux, le mieux. Qui sont tous ces gens charmants ? Pourquoi ne faites-vous pas les présentations ?

— Euh... Certainement. Voici mon mari, Brian... et mes amis, Michael Tolliver et Anna Madrigal.

La veuve rock'n'roll hocha trois fois la tête sans mot dire, considérant apparemment que son propre nom faisait partie de la culture contemporaine. Puis elle braqua de nouveau son regard de gitane sur Mary Ann.

— Vous venez à ma vente aux enchères, n'est-ce pas ?

Alors c'était ça*!* songea Michael. Mme Cross avait la faculté de renifler la présence de la presse dans une pièce bondée.

Mary Ann fut prise de court, comme on pouvait s'y attendre. Elle bégaya :

— Votre... J'ai peur de ne pas...

— Oh, non ! s'exclama la veuve en roulant des yeux, faisant mine d'être agacée. Ne me dites pas que ma tête de linotte de secrétaire ne vous a pas envoyé d'invitation !

— Je ne crois pas, non, reconnut Mary Ann.

— Eh bien... considérez que vous êtes invitée. J'organise une vente chez moi ce week-end. Quelques souvenirs de Bix. Des disques d'or. Des chemises qu'il portait lors de sa dernière tournée. Des tas de trucs. Des trucs super.

— Génial ! lança Mary Ann.

— Oh... Et puis, sa Harley préférée... Et ses haltères, ajouta-t-elle en pointant un doigt sur Brian. Celui-là m'a l'air de faire un peu de gym. Pourquoi ne l'amenez-vous pas avec vous ?

Mary Ann jeta un coup d'œil rapide à « celui-là », puis se retourna vers son assaillante.

— Je ne sais plus ce que nous avons prévu ce jour-là, mais si...

— Le magazine *W* a confirmé sa venue, et le *Hollywood Reporter* a promis d'être là. Même le docteur Noguchi viendra... Ce qui me paraît le moins qu'il puisse faire, étant donné que c'est lui qui a tout raconté quand Bix... Enfin, vous savez : quand Bix a cassé sa pipe.

Michael l'écoutait avec un mélange de fascination et de répulsion. C'était le genre de babillage candide qui avait valu à Theresa Cross sa position unique sur l'échelle sociale de San Francisco. Elle était peut-être un peu commune parfois, mais elle était tout sauf ennuyeuse. Par ailleurs, la mort de son mari — d'une overdose d'héroïne au *Tropicana Motel* d'Hollywood — avait fait d'elle une femme richissime.

Lorsque les hôtesses locales avaient besoin d'une « femme en plus » — et c'était souvent le cas à San Francisco — on pouvait compter sur Theresa Cross pour jouer son rôle. En grande partie à cause de cette renommée, Michael l'avait un jour appelée devant Jon « la fille à pédés de la *jet-set* ». La réaction de Jon avait été — comme à son habitude et au point que c'en était exaspérant — prudente :

— Peut-être que oui, mais c'est ce que nous avons de plus proche de Bianca Jagger.

Déconcertée par la « franchise » de Theresa, Mary Ann cherchait désespérément quelque chose à dire :

— Cet endroit est charmant, n'est-ce pas ?

La veuve rock'n'roll fit la grimace :

— C'était *nettement* plus amusant la semaine dernière.

Tel un radar, son regard balaya la pièce pour venir se poser enfin sur une frêle silhouette debout près de l'entrée. Tout le monde sembla la reconnaître au même moment.

— Oh, merde ! murmura Brian. C'est Bambi Kanetaka.

— Il faut que je file, dit Theresa en fonçant sur sa nouvelle proie. Je vous vois à la vente.

— Très bien, répondit faiblement Mary Ann.

Deux tables plus loin, la veuve brailla :

— Dix pour cent seront reversés à des œuvres !

— C'est ça, conclut Michael. Et quatre-vingt-dix finiront dans ses narines.

— Mouse... Elle va t'entendre.

— Tu parles, on n'existe déjà plus ! dit-il en désignant l'entrée du restaurant où Mme Cross débitait déjà son petit discours à Bambi Kanetaka.

L'ambition déçue de Mary Ann brûlait dans ses yeux comme un petit feu de forêt.

— Eh bien, fit-elle d'un ton morne. Je suppose qu'une présentatrice a la préséance sur une simple journaliste.

Il y eut un long silence lourd de sens, que Mme Madrigal rompit en prenant l'addition.

— Pas chez nous, ma chérie. Et si nous passions prendre des glaces sur le chemin du retour ?

Quand l'heure de se coucher fut enfin arrivée, Michael s'endormit d'un sommeil agité, troublé par l'alcool et les regrets. Si Jon avait été là, Michael l'aurait réveillé pour lui dire que Theresa Cross était une connasse, qu'il s'en était toujours très bien sorti sans la moindre Bianca Jagger et que la poursuite effrénée du chic était une faiblesse indigne d'un docteur en médecine.

Il s'éveilla en sursaut, sortit du lit et tituba jusqu'au téléphone. À la lumière d'un lampadaire de la rue, il composa le numéro de Ned. Son associé répondit à la deuxième sonnerie.

— C'est moi, annonça Michael.

— Salut, bonhomme.

— C'est trop tard pour changer d'avis ?

— Sur quoi ?

— Tu sais bien... La Vallée de la Mort.

— Tu penses bien que non. C'est bon pour ce week-end ?
— Parfait.

Salut, beau gosse

Tandis que la pluie criblait l'enclos où était parquée la presse sur le Quai 50, Mary Ann se blottissait sous le parapluie de son cameraman en engloutissant un petit déjeuner composé de Cheerios arrosés de lait.
— Mais *d'où* ça vient, ces trucs ? lui demanda-t-elle en désignant les céréales.
— Des gens du protocole. C'est une blague.
— En effet, concéda-t-elle d'un ton lugubre.
Cela faisait belle lurette qu'elle en avait assez de courir sous la pluie après cette Anglaise charmante... mais bien terne. Ils auraient quand même pu faire largement mieux que des céréales froides.
— Mais c'est une *vraie* blague, Mary Ann ! insista-t-il avec un sourire indulgent. La reine s'en va, tu vois bien ? Et comme le nom des céréales veut dire « Salut », nous disons bon vent à la reine, tu piges ?
La réaction de Mary Ann dut immédiatement se lire sur son visage, car il eut un gloussement sardonique.
— Ça nous fait une belle jambe, hein ? ajouta-t-il.
Mary Ann posa son bol et leva les yeux vers le *Britannia.* Sur le pont, un orchestre jouait *La Valse anniversaire* — une allusion très claire aux Reagan, qui avaient fêté la veille, à bord, leur trente et unième année de mariage. Bientôt, ils allaient quitter le yacht royal avec la reine et le prince pour embarquer dans des limousines et filer à l'aéroport.
Tandis que le *Britannia* cinglerait vers Seattle, la reine et le prince consort s'envoleraient pour Yosemite afin de poursuivre leurs vacances. Le président se ren-

drait en jet à Klamath Falls, dans l'Oregon, pour faire un discours sur le déclin de l'industrie du bois, tandis que sa femme monterait dans un autre avion, pour Los Angeles celui-là, car elle était censée apparaître dans un numéro spécial de *Diff'rent Strokes* sur la drogue et les enfants.

En temps normal, un tel salmigondis d'absurdités aurait déclenché chez Mary Ann au moins un bref monologue cynique, mais elle était trop absorbée par son dilemme intérieur pour faire de l'esprit aux dépens des Reagan. Au lieu de cela, elle serra les dents et attendit en silence le rituel final de cette stupide extravagance tribale.

La pluie se calma un peu. Un orchestre en kilt défila bravement sur le quai. Un feu d'artifice illumina le ciel gris et morne, tandis qu'une femme blonde emplumée haussait le ton avec le garde, à l'entrée de la tribune de presse.

— Mais *je suis* de la presse, protestait-elle. C'est simplement que je n'ai pas ma... euh... carte sur moi.

Le garde restait inflexible :

— Écoutez, madame. Vous faites votre boulot, moi je fais le mien.

Mary Ann s'approcha de la balustrade et cria à l'adresse de la sentinelle :

— Elle est avec moi ! mentit-elle. J'en prends la responsabilité.

Soulagée, la blonde emplumée et trempée adressa un sourire radieux à celle qui la sauvait in extremis.

— Mary Ann ! Vous êtes ma providence !

Mary Ann répondit par un « Bonjour, Prue ! » atone et gêné.

C'était vraiment un triste spectacle que cette caricature de mondaine qui avait l'air d'un grand oiseau perdu sous la mousson. Prue Giroux était apparemment déboussolée depuis qu'elle avait perdu son poste de chroniqueuse au *Western Gentry.* Sa vie avait toujours tourné autour des soirées — ce qu'elle appelait des

« manifestations sociales » — mais le flot des invitations et des laissez-passer de presse s'était tari depuis des mois.

Pour ceux qui estimaient appartenir à la bonne société de San Francisco, il n'y avait personne d'aussi aisément sacrifiable qu'une ex-chroniqueuse, à part peut-être l'ex-femme d'un chroniqueur. Manifestement, Prue l'apprenait à ses dépens.

Sans grâce, secouant ses plumes, elle gravit l'escalier en chancelant sur ses talons aiguilles.

— C'est tellement charmant à vous de faire cela, dit-elle en baissant d'un ton. N'est-ce pas merveilleusement excitant ?

— Mmm, répondit Mary Ann, qui ne voulait pas réduire à néant ses illusions.

La naïveté de Prue était la seule chose chez elle qui invitait au respect.

— Regardez ! s'exclama-t-elle. Juste à temps !

Vêtue d'un manteau beige et coiffée d'un chapeau blanc, la reine s'avançait vers la passerelle au bras du président. Tandis que Mary Ann faisait signe à son cameraman, un tonnerre d'applaudissements éclata sur la jetée et Prue Giroux soupira bruyamment.

— Oh, Mary Ann ! Mais regardez comme elle est belle ! Elle est *vraiment* belle !

Mary Ann ne répondit pas, occupée qu'elle était par l'aspect technique de son travail. Le spectacle dura en tout et pour tout quinze minutes. Quand ce fut terminé, elle s'éclipsa, abandonnant Prue et son équipe, pour aller boire quelque chose de fort au *Olive Oil's,* un bar situé près de la jetée. Elle s'installa sous une rangée de drapeaux et regarda le *Britannia* filer vers le Golden Gate.

Le type assis sur le tabouret voisin leva son verre en direction du navire et s'écria :

— Bon débarras, vieux débris !

Mary Ann éclata de rire :

— Ça, je suis bien de votre avis. Sauf que le vieux débris n'est plus à bord : il est maintenant dans un avion pour Yosemite.

L'homme termina son verre, puis il posa sur elle un regard moqueur.

— Je voulais parler du bateau, expliqua-t-il.

Elle se rendit compte qu'il parlait avec un accent anglais.

— Vous devez être journaliste, dit-elle.

— Je dois ?

Voilà qu'il continuait à se moquer d'elle. Est-ce qu'il essayait de la draguer ?

— Eh bien, j'ai cru. À cause de l'accent... Oh, laissez tomber.

Le type éclata de rire en lui tendant la main.

— Je m'appelle Simon Bardill.

Elle lui serra la main très formellement.

— Et moi Mary Ann Singleton.

En le regardant de nouveau, elle se rendit compte qu'il ressemblait beaucoup à Brian. Il avait les mêmes boucles châtaines, les mêmes yeux expressifs (mais noirs, et non pas noisette), et la même petite touffe de poils qui pointait dans le creux à la base de son cou. Toutefois, c'est vrai, s'il avait un visage un peu plus anguleux — plus une tête de renard que de nounours ! —, même un spectateur moins impliqué aurait remarqué la ressemblance. Il y avait aussi une différence d'âge, bien sûr : apparemment, ce garçon-là allait vers la trentaine.

Il sentit qu'elle était ailleurs.

— Euh... Vous êtes perdue dans vos pensées ?

— Oh, excusez-moi. Vous me faites beaucoup penser à... quelqu'un que je connais.

Préciser « mon mari » aurait été nettement trop intime. Malgré tout, comme cette remarque pouvait être prise pour une avance, elle se hâta d'ajouter :

— Vous devez être du coin.

— Pas du tout, répliqua-t-il en désignant le bateau. Je suis de là-bas.

Elle se rendit compte qu'il savourait le mystère qu'il était en train de faire planer.

— Vous... euh... Vous avez démissionné, quelque chose comme ça ?

Il fit tinter la glace dans son verre.

— Démissionné de tout sens commun, peut-être... observa-t-il.

Par-delà les vitres ruisselantes de pluie, il scruta le yacht royal qui devenait une petite tache bleu sombre sur le gris de la baie.

— C'est une hypothèse envisageable.

— O.K. *Là,* je suis vraiment perdue, dit-elle en clignant des yeux.

Il fit de nouveau tinter la glace.

— C'est pourtant simple : j'ai quitté le bord.

Elle se mit à réfléchir rapidement à des questions d'heure de bouclage : était-elle tombée par hasard sur la seule nouvelle intéressante de tout ce cirque médiatique ?

— Vous connaissez l'expression ? ajouta-t-il.

— Oui... Bien sûr. Vous étiez membre d'équipage ?

— Oh, non ! Non, non : *officier*.

Il fit signe au barman de le resservir.

— Puis-je ? demanda-t-il à Mary Ann en désignant son verre.

— Oh... Ça va, merci.

Est-il trop tard pour rattraper l'équipe ? se demanda-t-elle.

— Écoutez, je m'en veux d'insister sur ce sujet, mais... Vous étiez censé partir sur le *Britannia* et... vous avez décidé de ne pas le faire, c'est ça ?

— Exactement.

— Vous avez... déserté ?

Il éclata de rire.

— Mme Thatcher au profit de M. Reagan ?

Il resta un instant pensif en caressant sa mâchoire carrée.

— Vous êtes dans le vrai, cela dit. Je suppose qu'on *pourrait* dire que j'ai déserté, oui. Oui...

Il sembla réfléchir à la question comme si elle l'intriguait, jusqu'au moment où le barman revint avec son whisky.

— Au nouveau Simon Bardill et à la charmante dame qui partage son noir secret ! s'écria-t-il en levant son verre.

Bien qu'il fût vide, elle leva le sien.

— J'en suis honorée... Que dois-je dire ? *Lieutenant* Bardill ?

— Bravo. Vous avez même prononcé le mot à l'anglaise.

Elle s'inclina avec modestie, se sentant curieusement royale en sa présence.

— Mais en tant que sujet britannique, vous ne devriez pas mettre de la glace dans votre verre, je me trompe ?

— Quand êtes-vous allée en Angleterre pour la dernière fois ? demanda-t-il en fronçant les sourcils.

— Jamais, j'en ai bien peur.

— Pas la peine d'avoir peur, dit-il en souriant. Nous avons de la glace dans les bars, maintenant. Enfin, *ils* ont de la glace.

— Je vois.

— Ça a beaucoup changé. Énormément.

Il considéra de nouveau la baie, comme pour s'assurer que la dernière trace d'Angleterre avait bien disparu : c'était le cas et il se retourna vers elle.

— Quand je pense que j'aurais pu être le dernier des « *Snotty Yachties* ».

Elle sourit, ravie de lui montrer qu'elle connaissait le surnom dont était affublé l'équipage très collet monté du *Britannia.*

— Vous n'allez pas leur manquer ? demanda-t-elle.

— Oh si ! Affreusement, sans doute. Je suis un garçon plutôt charmant, vous ne trouvez pas ?

— Je voulais dire : sur le plan professionnel. Que va-t-il se passer quand ils ne vous verront pas à... je ne sais trop quelle occasion.

— Je suis officier radio, expliqua-t-il. Et à l'heure qu'il est, l'occasion s'est déjà présentée, d'une manière ou d'une autre. Je suppose qu'ils auront trouvé un autre pur-sang ravi de prendre ma place. Avez-vous déjà vu la ville depuis Point Bonita ?

Elle mit un certain temps à réagir, puis elle parvint à répondre :

— Plusieurs fois.

— N'est-ce pas merveilleux ?

Il avait dit cela sur un ton tellement enthousiaste qu'elle se rendit compte qu'il ne s'agissait pas d'une invitation, mais d'une simple question.

— Très beau, reconnut-elle.

— Il devrait être interdit de montrer aux gens San Francisco depuis Point Bonita si c'est la première fois qu'ils voient la ville.

Il avala d'un trait son whisky et reposa le verre avec une solennité affectée.

— Ils risqueraient d'être pris de folie furieuse.

Cette explication trop gentillette la fit sourire d'un air sceptique.

— Alors comme ça, vous avez déserté à cause du paysage, hein ?

— C'est une façon de dire les choses.

— Est-ce que vous accepteriez de le répéter devant une caméra ?

Il la considéra un moment, puis il secoua la tête avec un petit rire las.

— J'aurais dû m'en douter, laissa-t-il échapper.

— Je veux dire que... c'est vraiment fantastique !

— Pour quelle chaîne travaillez-vous ?

Le ton de sa voix laissait entendre qu'il pensait

qu'elle l'avait trahi. Elle lui en voulut. Ils n'étaient que deux personnes qui discutaient dans un bar.

— Si ça ne vous dit rien, vous n'y êtes pas obligé ! précisa-t-elle.

Le lieutenant caressa le rebord de son verre du bout de l'index :

— Vous voulez de quoi faire un sujet, ou vous faire un ami ?

— Un ami, répondit-elle sans hésitation.

— Excellent choix, conclut-il avec un clin d'œil.

Elle le savait déjà. Un ami pouvait toujours finir par se laisser convaincre et accepter de fournir la base d'un sujet. Un ami qui pouvait lui faire confiance : elle le présenterait sous son meilleur jour. Le soir même, elle expliqua ce raisonnement à Brian tandis qu'ils sortaient du four leurs surgelés basses calories.

— Il est possible qu'il appelle, ajouta-t-elle.

— Qu'il appelle ? Tu lui as donné le numéro de la maison ?

— J'en doute, cependant !

— Mais c'est possible ?

— C'est possible. Il ne connaît personne, Brian. Je lui ai dit d'appeler s'il avait besoin d'aide...

— ... Mue par le seul désir de bien accueillir un étranger ? demanda-t-il lentement.

Elle lui lança un regard noir et souffla sur son assiette fumante.

— Tu n'es *pas* jaloux. Ne fais donc pas semblant d'être jaloux, Brian.

— Qui fait semblant ?

— Il fera pour nous deux un ami charmant. Il a travaillé sur le yacht royal, nom d'un chien ! Il ne peut qu'être intéressant, en tout cas.

— Alors, comment s'appelle ce nouvel ami intéressant ? s'enquit-il en piquant sa fourchette dans son plat.

— Simon, grommela-t-elle. Simon Bardill.

— Et comment est-il ?

— Très beau mec. Enfin, assez beau mec. Il te ressemble beaucoup, d'ailleurs.

— Tiens... Comment se fait-il que ce dernier point m'inquiète ? remarqua Brian en se caressant le menton.

Pour toute réponse, elle leva les yeux au ciel.

— Bon sang, mais que voudrais-tu que je fasse d'une version anglaise et plus récente de toi ?

— Ça commence à me faire drôlement travailler l'imagination... répliqua-t-il.

Compagnons de tente

Alors que l'aube se levait lentement sur la Vallée de la Mort, Michael se retourna dans son sac de couchage et répertoria les bruits du désert : le sautillement frénétique des rongeurs, le murmure apaisant du vent dans les prosopis, le...

— Oh, zut ! La vinaigrette a coulé !

C'était la voix de Scotty, le chef de l'expédition, en train de dresser l'inventaire de leurs stocks pour le petit déjeuner. Son gémissement suscita un éclat de rire dans la tente de Ned, suivi d'autres provenant de la dune où Roger et Gary avaient dormi à la belle étoile.

— Qu'est-ce qu'il y a de si marrant ? s'indigna Scotty.

— C'est la plus belle phrase de folle jamais prononcée dans la Vallée de la Mort, rétorqua Ned.

— Si tu veux donner dans le genre macho, répliqua sèchement le chef, va voir chez les voisins : ils mangent du corned-beef et des œufs en poudre. Nous les folles, Dieu merci, nous aurons des œufs benedict.

Hourras de part et d'autre.

La fermeture Éclair d'une des tentes glissa (probablement celle de Douglas et de Paul), des bottes écrasèrent bruyamment les cailloux, puis ce fut la voix de Paul, encore enrouée :

— Quelqu'un peut-il me dire où sont les sanitaires ?

Ned éclata à nouveau de rire.

— Ne me dis pas que tu y avais cru ? s'exclama-t-il.

— Écoute, salopard, tu m'avais dit qu'il y avait l'eau courante.

— Tout en bas de la route, à droite ! lança Roger.

— Où est mon nécessaire de rasage ? demanda Paul.

— Derrière la glacière, répondit Douglas.

Comme une tortue, Michael s'extirpa de son sac de couchage, trouva que l'air était décidément trop frisquet, et il y retourna illico. Pas la peine de se casser la tête : son absence dans cet échange matinal était passée inaperçue. Il pouvait en profiter pour dormir encore un peu.

Il s'était trompé : le visage souriant de Scotty s'encadrait maintenant dans la lucarne de sa tente.

— Bonjour, gueule d'amour !

Michael émergea partiellement et lui adressa un salut endormi.

— Tu vas aux sanitaires ?

— Faudra bien.

— Tant mieux. Trouve-moi une garniture, tu veux ?

— Euh... Une garniture ?

— Pour les pamplemousses, expliqua Scotty. Il y a des tas de belles choses, le long du chemin !

— Bon.

— Juste quelque chose de joli, hein... Ça n'a pas besoin d'être comestible, évidemment.

— Évidemment.

Une garniture en pleine Vallée de la Mort ! Il était clair qu'il devait y avoir là un message — un message sur la vie, l'ironie et la sensibilité gay — mais il lui échappa totalement, tandis qu'il se brossait les dents devant un lavabo perdu au milieu de nulle part, à côté d'un gros bonhomme en bermuda et en tongs.

En revenant vers le campement, il s'écarta du chemin suffisamment longtemps pour trouver quelque chose de relativement décoratif — une herbe dentelée et vert pâle qui semblait pouvoir convenir — puis il décida d'essayer un autre itinéraire. Il se sentait étrangement exalté par cette matinée bleue et cet air vif, et il voulait les savourer en solitaire.

Ils avaient planté leurs tentes au pied d'un à-pic à l'extrémité nord du terrain de camping de Mesquite Springs, à un endroit où un bizarre caprice de la géographie dissimulait les autres campeurs derrière une éminence rocheuse. Du coup, il eut du mal à retrouver le campement jusqu'au moment où il repéra les pignons beiges de la Grande Tente, une sorte d'espace commun que Ned avait bâti avec des mâts de bambou et des bâches provenant de leur magasin.

Le petit déjeuner fut une réussite. Les œufs benedict de Scotty firent un triomphe et la garniture de Michael fut saluée de quelques applaudissements polis. Une fois la table desservie, Douglas et Paul firent chauffer de l'eau pour la vaisselle, tandis que Roger et Gary se retiraient dans leur coin pour diviser les champignons en sept portions égales. Chacun ayant eu sa part, Ned proposa une promenade dans les « Montagnes de la dernière chance ».

— J'ai quelque chose à te montrer, confia-t-il à Michael. Quelque chose de particulier.

Scotty resta au camp pour préparer le déjeuner pendant que tous les autres suivaient Ned dans les collines, s'arrêtant de temps à autre pour s'extasier, là sur un cactus en fleur, là sur un relief insolite. Douglas affirma avoir repéré des hiéroglyphes à un endroit, mais son compagnon, beaucoup moins imaginatif, lui assura que c'était juste « l'effet des champignons ».

Ils parvinrent à un plateau balayé par le vent et semé de rocs noirs qui s'étaient fendus en formes régulières. Au bord du plateau s'élevait un empilement de pierres de près de deux mètres, une construction humaine que Michael trouva nettement moins géométrique que le reste du paysage.

Douglas s'approcha et fixa le tas de pierres.

— C'est très Carlos Castaneda, murmura-t-il.

— C'est très phallique, fit Gary.

— Bon, eh bien, restez pas plantés là, ricana Ned. Adorez-le.

— Nan, répondit Gary. C'est pas assez gros !

On dut entendre leur éclat de rire à des kilomètres.

Ned se remit en route, ouvrant la voie.

— Qu'est-ce que c'est ? finit par lui demander Michael en le rattrapant.

— Quoi ?

— Le truc que tu voulais me montrer.

Ned se contenta de secouer la tête avec un sourire énigmatique.

Ils gravirent une autre côte, celle-là offrant une vue époustouflante sur la vallée. Des pierres rougeâtres alignées le long de la crête évoquaient les fragments d'un cercle gigantesque.

— C'était un symbole de paix, expliqua Ned.

Alors qu'ils redescendaient, Michael l'interrogea encore :

— C'était pas ça, hein ?

— Non, fit Ned.

Le terrain était redevenu plat et ils longèrent avec précaution un précipice aux bords friables. Les champignons faisaient bourdonner le crâne de Michael, intensifiant encore ses sensations. Et les distances étaient de plus en plus difficiles à apprécier dans un paysage où le moindre caillou prenait les proportions d'une montagne vertigineuse.

Soudain, Ned quitta le groupe en courant pour s'arrêter au bord de la falaise et Michael fut le premier à le rejoindre.

— Bon sang, mais qu'est-ce que tu fiches ? demanda-t-il.

— Regarde ! s'écria Ned en éclatant de rire.

Ce dernier s'était accroupi et désignait le fond de la vallée au-dessous d'eux, où cinq tentes de couleurs vives ressemblaient à de petits hôtels posés sur un tapis de Monopoly. Derrière, étincelant comme une voiture miniature, était garée la camionnette rouge. Ils surplombaient maintenant le terrain de camping.

— Alors ? voulut savoir Ned.

Michael scruta le minuscule campement et sourit. Il n'avait pas besoin de demander à son acolyte si c'était bien cela la surprise. Il *savait* ce que celui-ci sous-entendait : regarde-nous tout en bas ! Est-ce qu'on n'est pas magnifiques ? Est-ce qu'on n'a pas réussi quelque chose ? Vois-tu ce que nous signifions les uns pour les autres ? C'était pour Michael un geste tellement attentionné qu'il en fut profondément touché.

Ned mit ses mains en porte-voix et héla la silhouette lilliputienne qui se tenait près du feu de camp. C'était Scotty, sans aucun doute, qui s'activait pour préparer le déjeuner. Il chercha d'où venait la voix, puis il leur adressa de grands signes exubérants que lui rendirent Ned et Michael.

Après le déjeuner, le groupe se sépara de nouveau. Certains se retirèrent pour faire la sieste ou l'amour, d'autres savourèrent tranquillement les derniers effets des champignons en se promenant seuls dans le désert. Michael resta au camp dans la Grande Tente, tel un sultan solitaire absorbé dans ses pensées. Lorsque vint le crépuscule, il avait l'impression d'avoir toujours vécu là.

Il se leva et se dirigea vers les collines, en suivant le pâle ruban du lit de la rivière qui serpentait entre les prosopis. Il faisait nettement plus frais maintenant, et de nouvelles étoiles commençaient à apparaître dans le violet profond du ciel. Au bout d'un moment, il s'assit près d'un cactus qui projetait une ombre sous le clair de lune. Une petite brise le caressait.

Le temps passa.

Il se leva et retourna au camp, presque hypnotisé par la lueur ambrée qui provenait de la Grande Tente dont les parois ondulaient légèrement comme une poitrine d'où se seraient échappés des rires étouffés. Alors qu'il s'apprêtait à y entrer, l'une des bâches se souleva dans le vent comme une voile sur un galion et se détacha. Plusieurs voix grognèrent en chœur.

— Un coup de main ? s'écria-t-il.

— Michael ?

C'était la voix de Roger.

— Ouais. Tu veux que j'arrange ça ?

— Génial. C'est juste là. La bâche de derrière vient encore de foutre le camp.

— Où ça ?

Il tâtonna dans l'obscurité et trouva enfin un trou.

— Ici ?

— Gagné ! fit Gary.

Maîtrisant la toile rebelle, il repassa la corde dans les œillets et la fixa solidement. Puis il refit le tour et souleva le panneau de toile.

Ils s'étaient abstenus d'utiliser la lanterne, ayant découvert la nuit précédente qu'il n'était pas possible de la régler. La trouvaille inspirée de Paul était une torche électrique enveloppée dans un sac en papier qui projetait une lueur dorée à la Rembrandt sur les six hommes étendus sur le tapis, un tapis persan que Gary avait reçu de sa femme lors de leur divorce.

Gary était adossé à la glacière, la tête de Roger sur les genoux. Douglas et Paul, l'autre couple, étaient en train de fourrager dans une pile de cassettes à l'autre bout de la tente. Quant à Ned, il massait les pieds de l'industrieux Scotty avec une lotion apaisante à la vaseline.

C'était un charmant tableau, bon enfant et un rien daté, comme la photographie début de siècle d'une équipe de football universitaire, épaule contre épaule, main sur la cuisse, perdue dans les premiers émois des chaudes amitiés viriles.

— Merci, dit Gary à Michael qui entrait.

— De rien.

Ned s'interrompit dans sa tâche.

— Tu as pris un coup de soleil, bonhomme.

— Ah bon ?

Il appuya un index sur son biceps.

— Ça doit être la lumière.

— Non, l'assura Gary. Et ça te va très bien.

— Merci.

Il alla s'asseoir dans le coin libre à côté de Ned et de Scotty, qui lui sourit gentiment.

— Il reste des céréales et du fromage, si tu as encore faim.

— Pas la peine.

Après un bref échange de regards, Roger et Gary se levèrent en époussetant le fond de leurs pantalons.

— Bon, les mecs, dit Roger. La journée a été longue...

— Oh, oh, minauda Scotty. Les jeunes mariés nous quittent.

L'embarras de Roger était attendrissant. Avec un brusque pincement de cœur, Michael se souvint des tout débuts, quand Jon et lui se sentaient aussi mal à l'aise en pareille situation.

— Laissez-les tranquilles, lança Ned en riant. Ils n'ont pas de tente à eux. Ils ont bien le droit d'être un peu tous les deux, de temps en temps.

— Surtout que, question boulot, ils ont vraiment pas essayé de se *préserver* ! ajouta Douglas.

En partant, Gary lança un regard faussement menaçant à Douglas.

— Celle-là, tu me la paieras ! gronda-t-il.

— Qu'est-ce qu'il a voulu dire ? demanda Scotty une fois le couple sorti.

— Gary a apporté des *préservatifs,* tu comprends, expliqua Douglas en souriant.

— *Sans blague ?* s'exclamèrent trois voix à l'unisson.

— Ce n'est pas pour rien qu'on parle déjà de catastrophe à propos de cette maladie, continua Douglas en haussant les épaules.

— Tu as peut-être raison... concéda Scotty. Je veux bien m'intéresser au problème, mais de là à utiliser ces machins...

— Moi, je trouve que c'est assez bandant, les capotes ! commenta Ned avec l'un de ses mystérieux petits sourires.

— Pourquoi ? demanda Douglas. Parce qu'elles te rappellent les hétéros ?

— Les Marines, renchérit Paul.

— Je ne fantasme pas sur les mecs hétéros, lâcha Ned. Je n'ai jamais sucé que des bites de pédés.

— Qu'est-ce qu'elles ont de si extraordinaire ? demanda Scotty, le pied toujours dans les mains de Ned.

— Les bites ? demanda celui-ci.

— Les capotes, grogna Scotty.

— Eh bien... commença Ned en plissant le front. C'est un peu comme des sous-vêtements.

— Ah oui : les capotes Calvin Klein ! lança Paul.

Tout le monde éclata de rire.

— Et pourquoi sont-elles comme des sous-vêtements ? insista Scotty.

— Eh bien... Ça ne t'est jamais arrivé de demander à un mec de remettre son slip parce que ça te faisait bander ?

— Si, bien sûr, mais...

— Tout ce qui restait entre toi et cette incroyable bite, c'était un voile de coton blanc ! Eh bien... c'est un peu comme ça, avec les capotes. Elles font obstacle, elles t'empêchent de tout avoir d'un seul coup. Ça peut être hyper-excitant.

Scotty leva les yeux au ciel.

— Mais ce sont des *ballons,* Ned, regarde les choses en face ! Et ça restera toujours des ballons. Ce sont des trucs ridicules qui sont faits pour les géniteurs hétéros !

Ils s'esclaffèrent de nouveau.

— Je me souviens, reprit Douglas, de l'époque où il y avait écrit sur les distributeurs de capotes : PROTECTION CONTRE LES MALADIES.

— Eh, banane, c'est ce qu'elles continuent à faire, dit Paul.

— Oui, mais il y avait toujours quelqu'un pour gratter le mot MALADIES et écrire BÉBÉS à la place. Maintenant, les hétéros ne les utilisent plus.

— Si.

— Non. Ils prennent la pilule ou ils se font faire une vasectomie, des trucs comme ça...

Tandis que Douglas et Paul poursuivaient sans conviction leur querelle, Michael fit signe à Ned qu'il allait se coucher. Il se glissa sous la bâche et partit directement vers sa tente, évitant même de regarder vers l'endroit où veillaient Roger et Gary. Il y était presque arrivé lorsque quelqu'un le héla.

— C'est toi, Michael ? demanda la voix de Gary.

— Mmm, mmm.

— Viens par là, ajouta Roger.

Il se fraya un chemin dans l'obscurité jusqu'au moment où il trouva le chemin qui menait à la petite butte. Le clair de lune illuminait le visage des deux hommes, blottis l'un contre l'autre sous un sac de couchage déployé.

— Tu vois, dit Roger avec un petit sourire. On n'avait pas filé pour baiser.

— Ça doit être les champignons, fit Gary. On n'a pas arrêté de se raconter des histoires de fantômes. C'est drôlement bien, ici. Pourquoi ne vas-tu pas chercher ton sac de couchage pour dormir avec nous ?

Michael se retourna vers la silhouette sombre de sa tente à deux places, vide et solitaire sous les étoiles.

— Je crois que je vais vous prendre au mot, répondit-il.

Ils s'endormirent tous les trois après que Gary eut raconté l'histoire de l'homme au crochet.

Michael rêva qu'il était de nouveau sur la crête au-dessus du campement, sauf que cette fois, c'était Jon qui était agenouillé à côté de lui.

— Regarde, chuchotait Jon. Regarde qui est là.

Mona sortait d'une des tentes, si minuscule qu'on la reconnaissait à peine. Michael lui faisait signe, encore et encore, mais elle ne le voyait pas, elle partait et disparaissait dans le désert.

Retour à Mona

Autrefois, Mona trouvait que Seattle était l'endroit où les vieux hippies pouvaient trouver une retraite idéale. Le climat était tempéré, sur le plan politique la ville était plutôt tolérante, et un nombre extraordinaire de ses habitants considéraient encore le macramé avec bienveillance. Le temps que Jane Fonda se remette à exhiber son corps, presque rien n'avait changé à Seattle.

Presque rien. Les lesbiennes qui cuisaient du pain aux dix céréales dans les années soixante et soixante-dix gagnaient maintenant leur vie dans les magasins de photocopies qui s'étaient ouverts en ville. Mona était l'une d'entre elles, mais, comme n'importe quelle autre femme, elle était étonnée de cette bizarre réorientation de sa carrière. « Peut-être, avait-elle un jour confié à une amie dans un de ses rares moments de gaieté, que c'est pour prouver que nous pouvons reproduire sans l'aide d'un homme ! »

Mona habitait sur Queen Anne Hill dans un

immeuble de sept étages construit en briques couleur de sang séché. Elle travaillait à quatre rues de là au *Kwik-Copy Center,* un endroit très high-tech dont le décor jouait sur diverses nuances de gris. Ni son appartement ni son boulot ne satisfaisait ses aspirations, mais quand avait-elle jamais été satisfaite ?

— Fais pas la tête, Mo. Ça peut pas être aussi terrible que ça.

C'était Serra, sa collègue de la photocopieuse voisine. Serra, la punkette toujours guillerette.

— Ah oui ?

Serra baissa les yeux sur l'énorme manuscrit qu'elle traitait.

— Mais non, lança-t-elle à Mona, ça ne peut pas être aussi terrible que ce truc-là !

— Qu'est-ce que c'est ?

— *Le Temps des Femmes.*

— Avec une majuscule, évidemment ? dit Mona en faisant la grimace.

— Qu'est-ce que tu crois ? répliqua Serra. Peut-être qu'on devrait appeler le *Guinness Book.* Si je ne me trompe, c'est probablement le bouquin lesbien le plus chiant de toute l'histoire de la littérature.

— Il y a du cul ?

— Pour le moment, non. Mais une sacrée palanquée de bons sentiments.

— Ce que ça doit être gonflant !

— Tu peux le dire. Et toi, c'est quoi ?

— Encore pire. La grande folle qui sert au *Ritz Café* fête son trentième anniversaire.

— Une invitation ?

— Un collage photocopié, rien de moins. Avec une charmante photo de sa queue et des clichés de *I Love Lucy.* Il me l'a fait refaire deux fois.

— Évidemment !...

— La queue est trop orangée et les cheveux de Lucy trop verts. À moins que ce ne soit le contraire.

Qu'est-ce qu'on s'en tape ! C'est censé être de l'art, ou quoi ?

Serra éclata de rire, mais son expression était soucieuse.

— Toi, Mo, tu as besoin de prendre une journée de congé !

— J'ai besoin d'une bonne lobotomie, oui ! ironisa Mona en baissant de nouveau les yeux sur sa machine.

— Non, Mo, je t'assure... insista Serra en s'approchant d'elle. Tu en fais trop. Détends-toi. Holly peut bien te filer une journée ou deux.

— Peut-être, rétorqua Mona, mais pas le docteur Sheldon.

— Qui ?

— Le docteur Barry R. Sheldon, expliqua-t-elle. Un parodontologue de Capitol Hill qui est sur le point de faire une saisie sur mes gencives.

Elle esquissa un sourire malheureux.

— Parfaitement, ma petite : au moment où nous parlons !

La compassion de Serra sembla mêlée de gêne :

— Oh... Si tu as besoin d'argent...

— C'est gentil, répondit Mona en pressant la main de Serra. Mais c'est un petit peu plus grave que ça.

— Ah.

— Par contre, je ne dirais pas non à des heures supplémentaires.

— Je croyais... Je pensais que tu avais besoin de te changer les idées.

— Oui, ça aussi. Mais fais gaffe : ta machine est en train de bourrer !

— Merde ! s'écria Serra en bondissant à son poste.

À midi, Serra insista pour inviter Mona à déjeuner au *Ritz Café,* qui constituait le décor idéal pour la coupe de cheveux de Serra. Elles commandèrent toutes les deux des Pernod Stingers et Serra porta un toast sincère à Mona en lui souhaitant de se remettre rapidement.

— Ça va aller mieux. J'en suis vraiment convaincue.

— C'est parce que tu as vingt-trois ans, répliqua Mona.

— Parce que c'est différent quand on en a trente-sept ?

— Trente-huit. Non, pas différent, juste plus difficile à porter.

— Ça, j'en sais rien, avoua Serra.

— On verra ce que tu me diras dans quinze ans, plaisanta Mona avec une grimace. Quand on a vingt-trois ans, c'est pas grave de photocopier des bites. À trente-huit, si. Tu peux me faire confiance, je ne te mens pas.

Pendant un moment, Serra sembla perdue dans ses pensées.

— Qu'y a-t-il ? fit Mona.

— Rien. Enfin, rien pour le moment.

— Allons, allons...

— C'est juste une idée.

— Raconte-moi.

— Je ne peux pas. Pas tant que je ne suis pas sûre que ce soit possible.

Elle avala une gorgée de son verre, puis elle le reposa brusquement.

— Oh, zut !

— Quoi ?

— Devine qui nous sert ?

Le serveur reconnut immédiatement Mona.

— Salut ! lança-t-il. L'invitation est superbe !

Elle eut un sourire forcé.

— Je suis contente qu'elle te plaise.

Après le déjeuner, elles reçurent une commande de dernière minute pour cinq cents tracts annonçant un « Brunch anglais » en l'honneur de la récente arrivée du *Britannia* à Seattle. Mona, furieuse, considéra la maquette — une photo de la reine déclarant : « Une bonne saucisse, y a que ça de vrai ! » — puis leva les yeux et considéra le client avec indignation.

— Quelqu'un pourrait-il me dire pourquoi tous les pédés de Seattle sont obsédés à ce point par cette bonne femme ?

Le client recula comme si elle l'avait frappé.

— Qui êtes-vous ? s'écria-t-il. Le comité de censure à vous toute seule ?

Elle jeta un regard impatient à la pendule puis demanda :

— J'imagine qu'il vous les faut pour aujourd'hui ?

L'homme montra clairement son irritation. Elle ne pouvait pas lui en vouloir : elle avait toujours su prendre assez de recul pour savoir précisément quand elle se conduisait en parfaite chieuse.

— Écoutez, fit-il. Demain, ça ira très bien. Moi aussi, j'ai eu une journée désagréable... Alors, ne passez pas vos nerfs sur moi, d'accord ?

— Je peux t'aider ? demanda Serra avec une petite voix.

— Non, ça ira, dit Mona en se sentant rougir. Je vais juste remplir...

— Rentre, Mo ! ordonna Serra en lui serrant gentiment le bras. Je vais m'en occuper.

— Tu es sûre ?

Elle avait l'impression d'être vraiment pénible.

— Tu en as plus que besoin, insista Serra. Allez, file.

Mona fila donc et ne s'arrêta en chemin que pour acheter avec un chèque en bois du thon et du détergent au supermarché SM. Autrefois — trois ans auparavant, pour être exact —, elle avait été prise de fou rire en voyant le nom du magasin et elle s'était promis d'y emmener Mouse s'il venait un jour à Seattle.

Mais Mouse n'était jamais venu et l'ironie du nom avait passé comme son bronzage californien. Leurs chemins s'étaient séparés et elle ne savait pas très bien à qui en revenait la faute. Désormais, l'idée de retrouvailles était au mieux gênante, au pire terrifiante.

Pourtant, elle ne pouvait pas s'empêcher de se demander si Mouse allait bien, s'il avait trouvé quelqu'un pour lui faire des câlins de temps en temps, et s'il l'appellerait encore Babycakes la prochaine fois qu'ils se verraient. Elle avait bien pensé trois ou quatre fois l'appeler, quand elle était sous Percodan au sortir d'une séance chez le parodontologue, mais elle ne voulait pas qu'il s'apitoie sur sa vie de chien.

Quand elle arriva chez elle, sa voisine, Mme Guttenberg, l'accueillit dans l'entrée de l'immeuble avec des cris :

— Oh, Dieu merci, Mona ! Dieu merci !

La vieille dame était dans tous ses états.

— Qu'est-ce qu'il y a ? demanda Mona.

— C'est le vieux Pete, le pauvre. Il est dans le fond de l'impasse.

— Vous voulez dire qu'il est... ?

— Un abruti l'a renversé. Je n'ai pas trouvé une bonne âme pour m'aider, Mona. Je lui ai mis une couverture dessus, mais je ne crois pas que... Le pauvre, il ne méritait pas ça !

Mona se rua dans l'impasse où gisait le chien, immobile sous la bruine. Seule sa tête dépassait de la couverture. Un œil chassieux se leva sur elle et cligna. Elle s'agenouilla et avec prudence posa la main sur son museau grisonnant. Il émit un faible grognement rauque.

Elle leva les yeux vers Mme Guttenberg.

— Il n'est à personne, n'est-ce pas ?

La vieille dame secoua la tête, les mains serrées sur sa gorge.

— Nous lui donnions tous à manger. Il vivait dans le quartier depuis au moins dix ans... Douze. Mona, il faut faire quelque chose pour lui.

Mona hocha la tête.

— Vous pourriez le transporter à la SPA ? C'est à quelques rues d'ici.

— Je n'ai pas de voiture, Mme Guttenberg.

— Vous pourriez le pousser.

— Le pousser ? demanda Mona en se levant.

— Dans un caddie que j'ai gardé du SM.

Ce fut ce qu'elles firent. Usant de la couverture pour le soulever, Mona déposa Pete dans le chariot et le transporta six rues plus loin, à la SPA. Là, l'employé lui apprit qu'il n'y avait aucun espoir.

— Ça ne prendra pas longtemps, commenta-t-il. Vous voulez le remporter ?

— Il n'est pas à moi. Je ne sais pas où je le... Non... Non, merci.

— Il faut acquitter dix dollars pour la décharge.

La « décharge » ! C'était tout ce qu'ils avaient trouvé comme terme pour désigner la chose.

— Bon, fit-elle en sentant les larmes lui monter aux yeux.

Cinq minutes plus tard, quand tout fut terminé, elle rédigea un autre chèque en bois et repartit sous la pluie avec le chariot vide. Mme Guttenberg l'attendait à la porte en bafouillant des paroles de reconnaissance et en cherchant dans son porte-monnaie « quelque chose pour votre peine ».

— Laissez, dit Mona en se dirigeant vers l'ascenseur.

Pendant sa lente et brinquebalante ascension, elle repensa brusquement à ce que Mouse avait appelé la « Loi de Mona » : *On peut avoir un super-mec, un super-appart' et un super-boulot, mais on ne peut pas avoir les trois en même temps.*

Mouse et elle en avaient souvent ri, sans jamais s'imaginer qu'un jour, par elle ou par lui, deux de ces trois satisfactions seraient considérées comme une sorte de miracle.

La question du « super-mec » (ou, dans son cas,

« super-nana ») ne la tracassait plus guère. En vivant seule, elle parvenait à entretenir à propos des gens certaines illusions qui l'aidaient à les apprécier davantage — parfois même à les aimer davantage. À moins que ce ne fût simplement sa manière à elle de se justifier d'être à chaque essai une colocataire aussi nulle ?

En revanche, la question du « super-appart' » lui resta en travers de la gorge lorsqu'elle atteignit le quatrième étage et qu'elle ouvrit la porte de la petite chambre qu'elle avait appris à appeler son chez-elle. Elle se dit qu'il y avait quelque chose de profondément tragique — non, pas de tragique, seulement de pathétique — dans son cas : une femme de trente-huit ans se fabriquant encore des étagères avec des briques et des planches.

Elle allait réfléchir au troisième point, le problème du boulot, lorsque le téléphone sonna.

— Oui ?

— Puis-je parler à Mona Ramsey, je vous prie ?

C'était une voix de femme que Mona ne reconnaissait pas.

— Euh... Je ne sais pas si elle est là. Qui la demande ?

— La comptable du docteur Sheldon.

— Oh, je vois, répondit Mona en tentant de garder un ton désinvolte. Puis-je prendre votre numéro ?

— Elle n'est pas là, alors ?

— Je crois que non.

Mona se montrait moins désinvolte, maintenant, plus autoritaire. À l'autre bout du fil, la harpie n'était pas décidée à lâcher prise :

— J'ai essayé de la joindre à son travail, mais on m'a dit qu'elle était rentrée se reposer. Je suis bien chez elle, n'est-ce pas ?

— Eh bien, oui, mais... Miss Ramsey est partie pour un certain temps.

— Je croyais qu'elle ne se sentait pas bien.

— Effectivement, mentit Mona. Elle a perdu quelqu'un.

— Ah...

— Son meilleur ami est mort cet après-midi.

Et comme cela faisait un peu trop convenu, elle en rajouta.

— Il a été exécuté.

— Mon Dieu !

— Elle a subi un choc terrible, continua Mona sur sa lancée. Elle a assisté à la scène.

C'était presque du roman, mais cela marcha à merveille. Son interlocutrice manqua suffoquer.

— Eh bien... Je crois... Je l'appellerai quand... Dites-lui simplement que j'ai appelé, voulez-vous ?

— Certainement, roucoula Mona. Bonne journée.

Elle reposa délicatement le combiné, puis elle arracha la prise de téléphone du mur. Si les parodontologues avaient le moindre lien avec la mafia, elle allait avoir de gros, gros ennuis.

Elle se fit une tasse d'infusion Red Zinger, se retira dans sa chambre, et se planta devant son miroir pour y retrouver ne fût-ce qu'un indice quant à son identité. S'efforçant d'être charitable, Serra lui avait un jour déclaré qu'elle « ressemblait beaucoup à Tuesday Weld ». Mona lui avait répondu : « Peut-être. Mais un vendredi plutôt qu'un mardi ! » Et à ce moment, ce mot d'esprit prenait tout son sens.

Ses « rides d'expression » l'amenèrent à se demander s'il était possible qu'on eût « trop d'expression ». De plus, les cheveux roux frisés avaient cessé de donner un look anarchiste depuis des années. Même Barbra Streisand avait abandonné cette coiffure. Le moment était-il venu de céder, de jeter l'éponge et de se convertir au chic lesbien ?

Certaines des gouines les plus politisées de la ville s'y étaient déjà mises et avaient troqué leurs Levi's et leurs sandales Birkenstock pour des jupes et des talons.

Il n'était plus question de l'antagonisme du look « camionneur » et du look hyper-féminin, de la libération en opposition à l'oppression. Désormais, les vêtements ne déguisaient pas la femme : les vêtements n'étaient rien de plus que des vêtements.

La perspective d'un revirement total était excitante, mais elle avait besoin d'un conseil. Elle se saisit du téléphone, le rebrancha et appela chez Mouse, soudain ravie d'avoir un tel prétexte impromptu pour briser le silence qui s'était établi entre eux. Mouse, malheureusement, n'était pas là.

Où était-il, alors ? Au magasin ? Elle essaya, mais n'eut pas plus de réponse. Nous étions pourtant samedi, nom d'une pipe ! Pourquoi fermer le magasin un samedi ? Qu'est-ce qui se passait ?

La sonnette retentit dans l'autre pièce. Elle se leva et s'approcha de l'antique interphone dix fois repeint.

— Oui ?

— Je suis bien chez Mona Ramsey ?

Elle hésita un instant :

— C'est pour qui ?

— Je suis une amie de Serra Fox. Elle m'a dit que je pourrais vous trouver ici. J'ai tenté d'appeler d'une...

— Un instant.

Mona fila à la fenêtre, jeta en bas un coup d'œil discret et aperçut une brune élégamment vêtue qui attendait devant l'entrée. Elle avait *vraiment* l'air d'une amie de Serra. Décidément, le chic lesbien était partout. Mona revint à l'interphone.

— Dites-moi, il ne s'agit pas d'argent ?

La femme eut un petit rire étouffé :

— Si, risqua-t-elle, mais pas comme vous pensez. Je n'abuserai pas de votre temps, Miss Ramsey.

Elle parlait avec un accent anglais.

Mona compta jusqu'à dix et appuya sur le bouton qui libérerait la porte d'accès...

Collection privée

Brian se surprit à penser à Mona Ramsey lorsque Mary Ann et lui arrivèrent à la vente de Theresa Cross, à Hillsborough. Au cours de leur semi-liaison de 77, Mona et lui avaient partagé une passion pour trois choses : les films *Harold et Maude* et *Le Roi de cœur,* et l'album de Bix Cross, *Denim Gradations.*

La chanson préférée de Mona était *Quick On My Feet.* Brian avait trouvé *Turn Away* plus à son goût, et là, maintenant, étincelant entre ses doigts, il tenait l'album de platine qui commémorait ce succès.

— Regarde-moi *ça,* chuchotait Mary Ann tandis qu'ils passaient entre les tables chargées de souvenirs dans la salle de projection de la rock-star défunte. Elle a même vidé le bar, fit-elle en lui tendant une bouteille de Southern Comfort à moitié vide.

Brian lut l'étiquette.

— Oui, mais il en a bu la moitié avec Janis Joplin.

— Ça nous fait une belle jambe, murmura sa femme. Tout le monde s'en fout !

Elle avait envie qu'ils s'engueulent ou quoi ? Lui, il ne s'en foutait pas, et elle le savait pertinemment.

— C'est de l'Histoire, dit-il enfin. Pour *certains,* en tout cas.

Elle émit un petit grognement et continua son chemin.

— Et ça ? demanda-t-elle en désignant un grille-pain cassé. C'est de l'Histoire ?

La lueur taquine qui brillait dans ses yeux le retint de se fâcher.

— C'est ce que tu penserais, si c'était une vente chez Karen Carpenter.

— Alors, ça, c'est bas, Brian !

Il gloussa, ravi de son petit effet.

— Et puis d'abord, protesta Mary Ann, je n'étais pas si fan d'elle que ça.

— Mon œil, t'as acheté tous ses albums !

Elle examina en grommelant une boîte de fourchettes en plastique.

— J'ai acheté *un* album, Brian ! Arrête de jouer les branchés...

L'arrivée de leur hôtesse coupa court au débat. Elle entra dans la pièce, vêtue d'un pull en angora noir et d'un pantalon moulant en Spandex de la même couleur. Mary Ann donna un coup de coude à Brian.

— C'est son idée des vêtements de deuil.

— Salut, vous ! s'exclama la veuve rock'n'roll en fondant sur eux.

— Salut, roucoula Mary Ann.

Elle avait beau, en privé, se répandre sur elle en sarcasmes, Mary Ann était intimidée par Theresa Cross. Brian s'en rendait compte au ton de sa voix et, à chaque fois, cela le rapprochait d'elle.

— Les gens de votre équipe sont déjà là ? s'enquit Theresa.

— Ils vont arriver d'un instant à l'autre, la rassura Mary Ann. Ils doivent avoir du mal à trouver le...

— Vous avez vu la Harley ?

Ayant réglé la question des médias, la veuve s'adressait maintenant à Brian.

— Bien sûr ! s'exclama celui-ci.

— C'est la meilleure, hein ?

Le cameraman de Mary Ann fit son apparition sur le seuil.

— En voilà déjà un, annonça-t-elle.

— Fabuleux ! s'écria Theresa. Ça ne prendra pas longtemps, j'espère. Les gens de *Twenty/Twenty* arrivent à midi.

— Une demi-heure, tout au plus, répondit Mary Ann. Il faut simplement que je leur explique ce que je veux. Tu m'attends un instant ? demanda-t-elle à Brian.

— Je vais m'occuper de lui, ronronna Theresa.

— Parfait ! dit Mary Ann en s'éloignant.

Theresa se tourna vers Brian.

— Venez, commanda-t-elle, je vais vous faire visiter.

Elle le précéda hors de la salle et l'emmena le long de couloirs capitonnés de gris et décorés de moulures en chrome.

— Vous étiez un grand fan de mon mari ?

— Son plus grand fan !

Elle lui lança un regard mauvais.

— J'espère que ce n'est pas par politesse que vous dites ça !

Avant qu'il ait eu le temps de comprendre, elle s'était arrêtée devant une double porte également capitonnée de gris.

— Je vais vous montrer quelque chose que vous ne verrez jamais à la télé.

Elle ouvrit toutes grandes les portes sur une chambre de proportions olympiques. Le long des murs s'alignaient des boîtes en celluloïd qui contenaient des dizaines de poupées folkloriques noires des années trente et quarante, des boîtes à biscuits en forme de mamas noires, des cendriers à l'effigie d'Oncle Tom et des affiches de Tante Jemima.

— C'est incroyable, fit-il.

La veuve eut un haussement d'épaules.

— Bix a toujours un peu regretté de ne pas être né noir. Mais ce n'était pas ce que je voulais vous montrer, dit-elle en s'approchant d'une énorme commode près du lit. C'était *ça*.

Et d'un geste théâtral, elle ouvrit l'un des tiroirs.

Brian resta confondu.

— Euh... des sous-vêtements ?

— Des *petites culottes,* idiot.

Mal à l'aise, il se dandina. Merde, qu'est-ce qu'il était censé dire ?

— Offertes par ses fans, expliqua Theresa en en sortant une de son sachet étiqueté. Celle-ci, par exemple, provient de l'Avalon Ballroom, 1967.

Brian émit un petit rire forcé.
— Vous voulez dire qu'elles les jetaient sur la scène ?
— Vous comprenez vite, vous ! lança-t-elle avec un clin d'œil.
— Et il les gardait ?
— Toutes !
Elle passa un ongle écarlate sur les sachets de petites culottes, comme une secrétaire qui explique son système de classement.
— Nous avons des petites culottes du Golden Gate Park — vous vous souvenez ? George Harrison était là. Et... le modèle classique, Fillmore, 1966. C'était une bonne année, n'est-ce pas ?
Il se mit à rire, l'appréciant pour la première fois. En tout cas, elle avait le sens de l'humour.
— Vous auriez dû les mettre aux enchères, remarqua-t-il.
— Sûrement pas. Elles sont à *moi.*
— Vous voulez dire que...
— Et je vous prie de me croire ! Je les ai toutes portées, ces foutues petites culottes !
Cette fois, il éclata carrément de rire.
— Et en plus, elles me vont drôlement bien !
Il s'en doutait déjà un peu.
— Allez, fit-elle. Vous commencez à être en nage. On va vous ramener à votre petite femme.

Le retour de Connie Bradshaw

Deux jours plus tard, Mary Ann se trouvait à Union Square, en train de tourner une promo pour l'Association de Sauvegarde des Tramways. Comme les trams n'étaient pas en service pendant la rénovation du réseau, elle utilisait celui qui était posé sur un socle près du *Hyatt,* relique mélancolique qu'elle trouvait un peu embarrassante, comme une tête d'élan sur le mur d'un bar.

Elle dut faire son petit numéro en plan très rapproché, perchée périlleusement sur le rebord du wagon. Pour ajouter à son humiliation, un petit attroupement s'était formé pour observer le supplice, applaudissant aux bonnes prises et sifflant les ratés.

Quand elle eut fini, une femme enceinte s'approcha d'elle. Son état, bien qu'aisément visible même pour le premier imbécile venu, était annoncé par une robe de grossesse brodée du mot BÉBÉ et d'une flèche indiquant l'endroit par lequel l'enfant était censé sortir.

— Mary Ann ?

— Connie !

Connie Bradshaw piailla comme elle avait toujours piaillé, comme elle piaillait déjà quinze ans plus tôt à Cleveland, lorsqu'elle était chef des majorettes de Central High College et que Mary Ann était un membre moyennement apprécié de la *National Forensic League.* De toute évidence, il y avait des choses qui ne changeaient jamais, notamment l'incapacité de Connie à traverser l'existence sans porter de vêtements avec quelque chose d'écrit dessus.

Une étreinte embarrassée s'ensuivit. Puis Connie recula et toisa son ancienne colocataire.

— Tu es une telle star ! s'exclama-t-elle.

— Pas vraiment, répondit Mary Ann, plus sincèrement qu'elle n'aurait voulu.

— Je t'ai vue avec la reine ! Si, avec ça, tu n'es pas une star, qui en est une ?

Mary Ann s'efforça de rire, puis elle désigna la flèche sur le ventre de Connie.

— Et ça, ça s'est passé quand ?

Connie appuya sur un petit bouton de sa montre digitale.

— Euh... Il y a sept mois et... vingt-quatre jours. À quelques jours près, annonça-t-elle en gloussant. Elle s'appellera Shawna, au fait.

— Tu sais déjà que c'est une fille ?

— Tu me connais !

Connie gloussa de plus belle.

— Je déteste le suspense. S'il y a une possibilité d'avoir des tuyaux à l'avance, je n'hésite pas.

Elle posa doucement les mains sur la future Shawna.

— C'est chouette, hein ?

— C'est chouette, admit Mary Ann en se demandant quand elle avait utilisé pour la dernière fois une telle expression. Mon Dieu, c'est fou comme on perd la notion des choses ! Je ne savais même pas que tu étais mariée.

— Mais je ne le suis pas, répondit Connie d'un ton désinvolte.

— Ah.

— Tu vois ? poursuivit Connie en lui montrant ses mains sans la moindre bague. C'est de la pure magie !

Pour la première fois depuis quinze ans, Mary Ann se sentit légèrement plus *middle-class* que Connie.

— J'en avais marre d'attendre, expliqua Connie. Je veux dire... Mince, j'ai bientôt trente-trois ans. À quoi ça sert d'avoir un gâteau au four si le four ne marche pas ? Tu vois ce que je veux dire ?

— Mmm, fit Mary Ann.

— Je veux dire : zut, quoi !... Je veux un enfant bien plus que je ne veux un mari, alors je me suis dit tant pis, j'arrête de prendre la pilule. On peut se trouver un mari à tout moment. Mais pour les enfants, il y a une date limite.

Elle se tut et dévisagea Mary Ann avec un air sincèrement soucieux.

— Attends... Je ne veux pas te faire flipper, chérie.

Mary Ann s'efforça de prendre l'air le plus enjoué possible.

— Tu plaisantes !

— Bon, tant mieux. De toute façon, le père, c'est soit Phil, un cadre dans l'informatique qui m'a emmenée à l'*Us Festival* l'an dernier, soit Darryl, un comptable de Fresno vraiment super.

Elle haussa les épaules.

— Je veux dire... Ce n'est pas comme si ça n'était pas des types super.

D'une certaine manière, c'était logique. Et c'était bien de Connie de trouver le prénom de son gosse avant celui du père !

— Tu as une mine superbe, la complimenta Mary Ann. Ça te va bien.

— Merci, se rengorgea Connie. Et Brian et toi, vous vous êtes mariés, n'est-ce pas ?

La question était inattendue, mais Mary Ann ne fut pas absolument surprise. D'après ce qu'il lui avait dit, Brian avait couché avec Connie une fois, en 76. La même année, il l'avait amenée à la soirée de Noël de Mme Madrigal. Et cela n'avait rien donné. D'après Brian, leur petite aventure avait signifié bien plus pour Connie que pour lui.

— Ça fait deux ans depuis cet été, confirma Mary Ann.

— C'est génial. Il est vraiment super.

— Merci. C'est ce que je pense aussi.

— Mais pas d'enfants, hein ?

— Pas encore, non.

— À cause de ta carrière, hein ?

L'espace d'une seconde, Mary Ann hésita. Il était temps d'en parler à *quelqu'un* et elle trouva que Connie faisait plutôt bien l'affaire. C'était une gentille fille, elle avait l'esprit pratique et n'avait rien à voir avec la petite famille si unie du 28 Barbary Lane.

— Il faut qu'on rattrape le temps perdu, dit Mary Ann. Je t'invite à prendre un café, tu veux ?

— Super !

Elles traversèrent donc le square en direction du Neiman-Marcus, où Connie se lança dans un discours sur les joies de sa future maternité.

— C'est comme... comme un ami qu'on n'a jamais rencontré. Je sais que ça paraît idiot, mais parfois, je m'assois et je parle à Shawna, quand je suis toute seule chez moi. Et tu sais... quelquefois, elle tape un petit coup pour me répondre.

— Ça ne me paraît pas idiot du tout, remarqua Mary Ann en reposant sa tasse.

— Je ne sais pas pourquoi j'ai mis autant de temps à me décider, poursuivit Connie. C'est la meilleure chose qui me soit jamais arrivée. Je te jure.

— Tu es en congé de maternité ?

Connie la regarda, perplexe.

— Tu es toujours chez United Airlines ? reprit Mary Ann.

— Oh ! fit Connie en riant. Tu es vraiment en retard, chérie. J'ai laissé tomber il y a cinq ou six ans. C'était plus assez glamour, si tu vois ce que je veux dire.

Mary Ann hocha la tête.

— De mon temps, on était hôtesse de l'air, continua Connie. Maintenant, on dit « personnel commercial navigant ». Ça n'a vraiment plus rien à voir.

— Oui. Tu dois avoir raison.

— Mais j'ai mis de l'argent de côté, alors j'ai ma petite maison à moi dans West Portal. J'ai une boutique de cartes d'art. Tu devrais passer. Je te ferai une remise spéciale presse.

Elle sourit tristement, se doutant que Mary Ann ne viendrait jamais.

— Tu dois être super occupée, cela dit.

— Je serais ravie de venir.

— Ça pourrait même te fournir un sujet de reportage. C'est un joli endroit.

— Mmm...

Connie posa une main sur celles de Mary Ann. C'était un geste de sœur, un souvenir de l'époque où Mary Ann dormait sur le canapé de Connie à la Marina, pleurant toutes les larmes de son corps sur les moments affreux qu'elle avait passés à la discothèque *Dance Your Ass Off.* Connie avait été son seul refuge, un lien bienveillant entre Cleveland et sa famille de Barbary Lane.

— Qu'est-ce qu'il y a, chérie ?

Mary Ann hésita, puis :

— Si je le savais !... soupira-t-elle.

— Qu'est-ce que tu veux dire ?

— Eh bien... Brian voudrait tellement qu'on ait un gosse.

— Et pas toi, c'est ça ?

— Non, c'est pas ça : j'en veux bien un. Peut-être pas autant que Brian, mais j'en veux un.

— Et alors ?

— J'ai arrêté de prendre la pilule il y a huit mois...

Connie resta la bouche ouverte.

— ... Et rien n'est arrivé, Connie. Zéro.

Connie pencha la tête de côté, compatissante.

— Alors Brian est tout déboussolé, c'est ça ?

— Non. Il n'est pas au courant, je ne lui ai rien dit.

Connie grimaça, pensive.

— J'comprends pas, objecta-t-elle. Tu lui as pas dit que tu ne prenais plus la pilule ?

— Je voulais que ce soit une *surprise,* Connie. Comme au cinéma. Je voulais voir la tête qu'il ferait quand je lui annoncerais que j'étais enceinte.

— Comme dans le temps ? C'est mignon.

— Maintenant, il va falloir que je voie la tête qu'il fera quand je lui avouerai que je ne le suis pas.

— Oui, c'est la tuile...

— Le problème, c'est... que ça signifie tellement pour lui !

Elle choisissait prudemment ses mots.

— Je crois qu'il est fier de moi et de ma carrière, j'en suis même certaine, mais son amour-propre en souffre énormément. Il se considère comme le serveur qui a épousé une vedette de la télé. Enfin, il est chaleureux, gentil, amoureux, incroyablement sexy, et moi ça m'a toujours suffi...

— Mais lui, non ! termina Connie.

— Apparemment non. Ce gosse, c'est son obsession numéro un. Je crois que c'est... quelque chose que lui pourrait aussi s'enorgueillir d'avoir réussi, tu vois ? Une marque qu'il laisserait sur cette terre. Sa chair et son sang.

Sa confidente acquiesça.

— Sauf que ça n'est pas possible, reprit Mary Ann. Et ce ne sera jamais possible.

— Tu veux dire que...

— Oui. J'ai vu le médecin. Ce n'est pas moi.

— Et tu es sûre que c'est lui qui est... ?

— Positivement certaine.

— Mais si on n'a pas fait d'examen sur son sperme ? avança Connie en fronçant les sourcils.

— Connie... On l'a fait.

— Quoi ?

— Il y a un mois, j'ai fait faire un test à l'hôpital St Sebastian. Il a trop peu de spermatozoïdes pour que ça marche.

— Attends un peu, là. Je croyais que tu ne lui avais rien dit.

Elle aurait dû se douter qu'il faudrait en arriver là.

— Je ne lui en ai pas parlé, Connie. Mais on peut faire tester son sperme sans... Oh, enfin, Connie, réfléchis !

Connie réfléchit, puis laissa tomber :

— Mince, ç'a pas dû être marrant.

Mary Ann fixa ses ongles sans répondre.

— Mais alors, comment tu... ?

— Connie, je t'en prie !... Ne pose pas de questions, O.K. ?

La dernière chose qu'elle souhaitait, c'était revivre l'horreur de cette journée si éprouvante : sa course jusqu'à la salle de bains où elle avait caché le flacon, et ses faibles excuses — un embouteillage à cause d'un enterrement dans Chinatown — pour expliquer son retard le soir...

— Il ne porte pas de slips trop serrés ?

— Pardon ?

— Je l'ai lu dans le courrier du cœur. Dans certains cas, ça peut être une cause de stérilité.

— Non... Ce n'est pas ça.

Elle se demanda un instant si Brian portait ce genre de slips à l'époque où Connie avait couché avec lui.

Pendant un moment, elles restèrent silencieuses. Comme Mary Ann devinait ce que pensait Connie, elle anticipa :

— C'est le moment de regarder les choses en face, hein ?

Connie leva les yeux de sa tasse et lui adressa un petit sourire gentil.

— C'est mon impression, chérie.

Brusquement, Mary Ann se sentit stupide.

— J'aurais dû lui en parler il y a des semaines. Je croyais simplement qu'il y aurait peut-être un moyen de lui épargner... Oh et puis zut : je ne sais pas. Si je lui avoue ce que j'ai fait... tu vois, le truc du test et tout...

— Ne lui dis pas.

— Je ne peux pas lui imposer ça à nouveau. Il insistera pour refaire un test, je t'assure.

— Tu pourrais lui raconter que c'est *toi* qui es stérile.

Mary Ann rejeta cette idée d'un froncement de sourcils. Cela aurait compromis leur relation plus encore que les problèmes qu'ils avaient déjà. Autant s'en tenir à la stricte vérité... et prier pour qu'un miracle se produise.

Quand elle rentra ce soir-là, elle trouva Brian dans la petite maison sur le toit, en train de regarder *Three's Company* avec sa casquette de base-ball KAFKA vissée sur le crâne. Depuis que Brian avait vu une publicité dans un magazine et l'avait commandée, elle détestait cette casquette ridicule. Mais ce soir, ce n'était guère le moment de le lui dire.

— J'ai acheté du vin, annonça-t-elle en levant la bouteille.

— Génial ! Pour fêter quoi ? lui demanda-t-il en se retournant vers elle.

— Rien de particulier.

— Tant pis.

Elle s'approcha de la fenêtre.

— La pluie a cessé. Regarde, il y a même un coin de ciel bleu par là-bas... Oh merde !

— Qu'est-ce qu'il y a ?

— J'ai oublié de monter des verres.

— Ce n'est pas grave.

— Je file en bas et...

— Mary Ann...

Il lui prit la main.

— Détends-toi, d'accord ? Ça ira comme ça. On boira à la bouteille.

— Mais j'en ai pour une minute !

— Personne ne nous regarde, Mary Ann, on ne passe pas dans ton émission !

Il ne manquerait plus que ça, songea-t-elle.

Il l'attira sur le canapé. Elle posa la bouteille par terre et s'installa avec lui en l'embrassant longuement. Puis elle se recula et observa ses yeux sombres aux longs cils.

— Tu te rends compte de la chance qu'on a ?

Il la considéra un instant, puis :

— Oui, répliqua-t-il.

Elle s'empara de la bouteille, en prit une gorgée au goulot, puis la lui présenta. Il en fit autant et la lui rendit.

— Pourquoi doit-on s'extasier sur notre chance ? lui demanda-t-il.

Elle reposa la bouteille à ses pieds.

— Qu'est-ce que tu sous-entends ?

— Je ne sais pas... Quand tu dis qu'on a une chance folle, c'est toujours avant d'annoncer une mauvaise nouvelle.

— Non, c'est pas vrai.

— D'accord, c'est pas vrai, concéda-t-il en lui décochant un sourire qui signifiait : « Je ne cherche pas la bagarre. »

— Je voulais seulement... En fait, je voulais juste te parler de quelque chose.

Il croisa les bras.

— Super. Vas-y.

— Eh bien, je me disais que ce serait bien de joindre nos deux noms.

— Hein ?

— Tu sais... Comme ça, je m'appellerais Mary Ann Singleton-Hawkins.

Il la dévisagea :

— C'est une blague ?

— Non. Je t'ai déjà dit que je me *sentais* tout à fait Mme Hawkins. Garder mon nom ne m'a jamais tellement intéressée.

— Je sais. C'était uniquement pour la télé.

— O.K. Mais si je deviens Mary Ann Singleton-Hawkins, je ne toucherai pas à leur fameuse notion de notoriété et puis... tu vois, ça fera plus comme si j'étais mariée.

Il resta bouche bée.

— D'ailleurs, je trouve que c'est très joli, ajouta-t-elle. Très distingué.

— Et qu'est-ce que ça fait de moi ?... fit Brian en fronçant les sourcils.

— Je ne comprends pas ce que tu veux dire.

— Ce que je veux dire, c'est ça : comment je vais

présenter la chose au boulot, moi ? En disant que je suis devenu Brian Singleton-Hawkins ?

L'objection l'arrêta net.

— Ah... souffla-t-elle. Oui, je comprends.

— Mais pourquoi donc as-tu... ?

— Laisse tomber, Brian : je n'avais pas réfléchi. C'était une idée idiote.

Elle eut un sourire penaud.

— Passe-moi la bouteille, beau gosse !

Ce qu'il fit. Elle prit une autre gorgée de vin. Il tendit la main et lui toucha la tempe.

— Tu sais, cette histoire de nom, je m'en fiche. Je te l'ai déjà dit il y a longtemps.

— Je sais.

Il lui passa un bras autour des épaules.

— Putain, t'avoueras que je suis vraiment un mec à la page !

En bas, le téléphone se mit à sonner.

— Il vaut mieux que j'y aille, dit Mary Ann, soulagée de cette interruption.

Elle dévala les escaliers et décrocha à la quatrième sonnerie avec un « Allô » hoquetant.

— Miss Singleton ?

— Oui.

— Simon Bardill.

— Simon ! Comment allez-vous ? Tout se passe bien ?

— À peu près... Je suis un peu dans le pétrin, question logement.

— Oh...

— J'aurais besoin de vos conseils un de ces jours. Celui qui vous conviendra, bien entendu.

— Bien sûr ! Attendez une seconde, O.K. ?

Elle fonça à l'étage et posa la question à Brian.

— C'est l'Anglais du *Britannia*. J'ai pensé qu'on pourrait l'inviter demain soir à dîner... Si tu as envie de faire sa connaissance, je veux dire !

L'hésitation de Brian fut presque imperceptible :
— Très bien, répondit-il.

La proposition de Simon

Il s'était imaginé l'Anglais comme une sorte de Laurence Harvey dernière époque, comme un aristocrate trop gâté avec des airs prétentieux et des goûts incompréhensibles. Il n'aurait pas pu être plus surpris, donc, lorsque Simon Bardill s'approcha de sa collection de disques et contempla la pochette de *Denim Gradations.*

— Quel dommage ! soupira-t-il.

Brian fut décontenancé.

— Pardon ? Oh... Vous voulez parler de sa mort ?

— Mmm. Overdose de coke, c'est ça ?

— Non. D'héro, d'après le légiste.

— Ah.

— Vous... Euh, vous êtes un grand fan de Bix Cross ?

Le lieutenant sourit faiblement.

— Plus qu'un fan, un vrai cinglé. À Cambridge, je ne passais rien d'autre dans ma chambre.

Il leva l'album pour que Brian le voie.

— Cette très jolie poitrine appartient à sa femme, si je ne me trompe ?

— Vous ne vous trompez pas. Je l'ai rencontrée ce week-end.

— Vraiment ?

Si hausser un sourcil en est le signe, le lieutenant était très impressionné.

— Katrina, c'est ça ? Non, Camilla... enfin, quelque chose d'exotique.

— Theresa, lui souffla Brian.

Le lieutenant répéta le prénom :
— Theresa... Theresa...
Puis il se tourna vers Brian avec un air entendu.
— Et son visage est-il aussi agréable que le reste de sa personne ?
— Mieux encore.
C'était quelque peu exagéré, mais il était ravi de jouer les spécialistes de Theresa Cross.
— Dieu merci ! laissa échapper le lieutenant, soulagé.
— Pourquoi ?
— Eh bien, personne n'aime que ses fantasmes soient réduits à néant.
— Ouais, convint Brian. C'est bien vrai.
Le lieutenant considéra de nouveau l'album.
— J'ai fait plus d'une fois sauter la cervelle du chauve sur cette pochette !
Brian ne saisit pas.
— Je crois qu'il faudrait que vous m'expliquiez, avoua-t-il.
Le lieutenant rit.
— Vous savez bien...
Le poing fermé, il fit le geste de se masturber.
— *Faire sauter la cervelle du chauve ?* répéta Brian avec un sourire. D'où sortez-vous une expression pareille ?
Le lieutenant réfléchit un instant, puis répondit :
— Je n'en ai pas la moindre idée.
Ils s'esclaffèrent, et le lieutenant rangea le disque. Brian profita du silence.
— Alors, demanda-t-il, comment ça se fait que vous ne soyez pas encore aux fers, depuis le temps ?
Le lieutenant sembla pris de court par cette approche directe.
— Je crois que vous avez trop lu Melville ! répondit-il cependant. La marine moderne n'est pas aussi sévère que vous le pensez.

— Oui, mais... vous avez déserté, n'est-ce pas ?
— Plus ou moins.
— Alors ? Ce n'est pas passible de la cour martiale ?
— Parfois. Mais ça dépend, vous savez. Ça dépend de la personne.
— Vous voulez dire que vous avez des amis haut placés ? lui demanda Brian en le regardant droit dans les yeux.
Le lieutenant semblait extrêmement mal à l'aise. Il s'apprêtait à répondre lorsque Mary Ann fit irruption dans la pièce et le tira d'affaire.
— Eh bien, dit-elle, quel dommage ! J'ai peur qu'elle ne soit pas encore rentrée.
Elle regarda son invité d'un air désolé.
— C'est tellement bon ! Elle l'a baptisée du nom de la reine mère.
Le lieutenant resta perplexe.
— Notre logeuse baptise ses plants d'herbe du nom de femmes qu'elle admire, traduisit Brian.
— Oh, je vois ! apprécia Simon.
— Je suis aussi allée voir chez Michael, continua Mary Ann pour Brian. Mais il n'est pas encore rentré de la Vallée de la Mort. Je peux toujours essayer de trouver des mégots dans le cendrier de la voiture.
— Trop tard, l'arrêta-t-il. Je l'ai déjà fait la semaine dernière. Il va falloir affronter ton poulet à froid.
Elle lui lança un regard noir.
— Puis-je vous servir du vin ? demanda-t-elle au lieutenant.
— Certainement.
Elle disparut dans la cuisine. Pendant ce temps, le lieutenant s'approcha de la fenêtre, tournant le dos à Brian.
— Ce fanal, ce doit être Alcatraz, dit-il, manifestement décidé à ne pas reprendre la conversation là où ils l'avaient laissée.

— Exact.

— Il n'y a plus de prisonniers, de nos jours ?

— Non, c'est vide. Depuis longtemps.

— Je comprends. Vous avez une belle vue, d'ici.

— Ouais. Pas trop mal.

Mary Ann revint avec le vin et les verres sur un plateau.

— Vous avez déjà goûté celui-ci ?

Le lieutenant se retourna.

— Non... Je ne peux pas dire.

— C'est un pinot noir... mais blanc. Très sec, précisa-t-elle en déposant le plateau sur la table basse, puis en s'agenouillant pour servir.

— Que de cérémonial !... murmura Brian.

Elle lui tendit son verre sans paraître avoir relevé la remarque.

— Alors, roucoula-t-elle en donnant le sien au lieutenant. Vous avez du mal à trouver où vous loger ?

— Pas exactement. J'ai pris une chambre à l'*Holiday Inn* de Fisherman's Wharf.

Brian et Mary Ann émirent un grognement en chœur.

— Oui, comme vous dites, poursuivit le lieutenant avec un sourire. J'espérais quelque chose avec plus de caractère. Ça ne m'amuse pas de déchirer tous les jours leur sceau de protection.

— Quel sceau de protection ? demanda Mary Ann.

— Vous savez bien... Celui qui recouvre les toilettes.

— Ah...

Elle eut un petit rire, mais un peu trop nerveux au goût de Brian.

— Combien de temps pensez-vous rester ?

— Oh, un mois environ... J'envisage de retourner à Londres quelques jours après Pâques.

— Ça va être difficile de trouver quelque chose à louer.

— En fait, expliqua le lieutenant, j'espérais plutôt faire un échange.

— Un échange ?

— Mon logement de Londres contre un ici, à San Francisco. Ce serait faisable ?

Mary Ann était déjà perdue dans ses réflexions.

— C'est un petit appartement miteux, ajouta le lieutenant. Mais le quartier est très pittoresque et... Eh bien, cela pourrait quand même intéresser quelqu'un.

Mary Ann regarda Brian avec des yeux pétillants.

— Est-ce que tu penses à la même chose que moi ? demanda-t-elle.

Invitation au voyage

Le temps d'accomplir leur odyssée transcalifornienne de dix heures, la camionnette rouge de Ned et ses sept passagers épuisés avaient survécu aux tempêtes de sable de Furnace Creek, aux tempêtes de neige de South Lake Tahoe et à une crevaison près de Drytown.

Michael sauta du plateau arrière, hissa son paquetage sur son épaule et gravit péniblement l'escalier de Barbary Lane, où il s'arrêta en route juste le temps d'adresser un au revoir à ses compagnons.

Ned lui répondit d'un coup de klaxon.

— Va te coucher ! brailla-t-il.

Comme un expert mécanicien qui sait diagnostiquer d'oreille un problème dans un moteur, il savait que la résistance émotionnelle de Michael s'était effondrée.

Michael leva le pouce en l'air.

Suivant ensuite les eucalyptus de l'allée sombre et encaissée, il sifflota sur la dernière partie du trajet pour écarter des démons qu'il était encore incapable de nommer.

Revenu à son appartement, il laissa tomber ses affaires par terre et se fit couler un bain chaud. Il y resta plongé pendant une demi-heure, regrettant déjà le départ de ses frères et la disparition de cette petite oasis réconfortante qu'ils avaient partagée dans le désert.

Après son bain, il enfila le pyjama en flanelle bleue qu'il avait acheté la semaine précédente à Chinatown, puis il s'assit à son bureau pour rédiger une lettre à ses parents.

Le rire chaleureux de Brian entra par la fenêtre alors que la nouvelle lune pointait derrière les nuages. Il entendit après un autre rire, moins jovial que celui de Brian, mais tout aussi sincère. Michael posa son stylo et écouta suffisamment la conversation pour déceler que le visiteur était anglais, puis il revint à sa tâche.

Boris, le chat du quartier, longea d'un pas furtif le rebord de la fenêtre à la recherche de quelqu'un. Quand il repéra Michael, il s'arrêta net, hésita avant d'entrer et annonça son arrivée par un miaulement qui ressemblait au grincement d'une porte rouillée. Michael recula vivement sa chaise du bureau et prépara ses genoux pour le recevoir. Cependant, Boris garda ses distances et arpenta la pièce, la queue dressée comme un sabre brandi.

— O.K., dit Michael. Comme tu veux.

Boris émit un grincement.

— Quel âge tu as, d'abord ?

Un autre grincement.

— Cent quarante-deux ? Pas mal.

Le chat fit deux fois le tour de la pièce et leva un regard interrogateur vers le seul humain qu'il avait pu trouver.

— Il n'est pas là, confirma Michael. Il n'y a plus personne pour te gâter, maintenant.

Boris exprima à haute voix son désarroi.

— Je comprends, dit Michael. Mais moi, je ne sais pas y faire et ça n'était pas mon boulot.

Il y eut des pas devant la porte. Boris tourna vivement la tête, puis il fila par la fenêtre.

— Mouse ?

C'était Mary Ann.

— C'est ouvert, annonça Michael.

Elle se glissa dans la pièce en refermant la porte derrière elle.

— Je t'ai entendu parler. J'espère que je ne t'ai pas...

— C'était juste Boris.

— Ah.

— Je veux dire... Je parlais à Boris.

— Je vois, fit-elle avec un sourire.

— Assieds-toi.

Elle s'assit du bout des fesses sur le canapé.

— Nous avons un Anglais tout à fait charmant, chez nous.

— J'ai entendu, oui.

— Oh... Est-ce que nous avons fait trop de... ?

— Non, la rassura-t-il. Pas de problème.

— Il est du *Britannia.* Il était officier radio de la reine.

— Était ?

— Eh bien... C'est une longue histoire. Le fait est que... Il a besoin d'un appartement meublé pendant un mois et il veut faire un échange avec quelqu'un d'ici. Il a un mignon petit appartement à Nottingham Gate... ou quelque chose comme ça. Enfin, bref : l'appartement attend simplement que quelqu'un aille y habiter.

— Et ?...

— Eh bien... Ça ne te paraît pas parfait ?

— Pour moi, tu veux dire ?

— Évidemment ! Je suis sûre que Ned n'y verrait aucun inconvénient si tu...

— Nous sommes fermés pour un mois.

— Alors voilà ! C'est parfait. Ce sont des vacances toutes prêtes.

Il ne répondit pas, le temps de peser la proposition.

— Réfléchis, Mouse ! L'Angleterre ! Mince, rien qu'à cette idée, je ne tiens plus en place, moi !

— Oui, mais... il faut quand même de l'argent.

— Pour quoi ? Tu peux vivre pour aussi peu là-bas qu'ici.

— Tu oublies le billet d'avion.

Ses épaules s'affaissèrent brusquement.

— Et moi qui croyais que tu serais emballé ! avoua-t-elle.

Elle avait l'air tellement déçue qu'il alla la rejoindre sur le canapé pour l'embrasser sur le front.

— J'apprécie l'attention, vraiment.

Elle lui lança un pâle sourire.

— Tu viens prendre un verre de vin avec nous ?

— Merci, répondit-il en rectifiant les revers de son pyjama. J'allais juste me jeter dans mon lit.

Elle se leva et se dirigea vers la porte.

— C'était bien, la Vallée de la Mort ?

— C'était... reposant.

— Tant mieux. Je suis contente pour toi.

— Bonne nuit.

Il se prépara un lait chaud, puis il alla se coucher et dormit à poings fermés jusqu'à midi. Après avoir terminé sa lettre à ses parents, il descendit vers Castro et prit un petit déjeuner tardif à la table commune du *Welcome Home.* Quand la pluie se calma, il fit un petit tour dans le quartier, avec l'impression étrange d'être un touriste débarqué de Mars.

De l'autre côté de la rue, un homme sortit de l'Hibernia Bank.

Son cœur se serra.

L'homme sembla hésiter, se tourna à droite, puis à gauche, suffisamment pour que son profil dissipât cette fragile illusion.

Cheveux blonds, pantalon en toile, chemise bleue... Combien de temps allait-il devoir attendre avant que ces détails cessent de lui évoquer Jon ?

Il traversa au carrefour et descendit la 18e Rue. À l'époque qui avait précédé l'épidémie, l'établissement situé à côté du *Jaguar Store* s'appelait le Vestiaire. C'est là que les gens venaient déposer ceux de leurs vêtements qui ne faisaient pas assez mec (sans parler de leurs sacs griffés) avant de rôder dans les rues du ghetto.

Le Vestiaire avait disparu désormais, et à la place s'était monté le *Castro Country Club*, un bar à jus de fruits et salon de lecture pour ceux qui voulaient rencontrer d'autres hommes sans en passer par l'alcool et le rituel de la drague en vigueur dans les bars. C'est là qu'il allait parfois se remettre après son coup de main occasionnel à SOS-Sida.

Ce jour-là, il tomba en entrant sur une partie de Scrabble très animée. Au bar, deux hommes en costume-cravate discutaient âprement de Joan Sutherland, tandis qu'un autre couple ressassait la victoire des Forty-Niners au Super Bowl.

Il trouva un siège loin des conversations et se plongea dans le dernier numéro de *The Advocate.* Une publicité pour une société de bijoux attira son attention :

JE SUIS SAFE — ET VOUS ?

Rencontrer quelqu'un est, de nos jours, de plus en plus compliqué. Herpès, sida, etc. Si vous êtes socialement actif, il est parfois malaisé et gênant de poser la question. Comment pouvez-vous faire comprendre à quelqu'un qui vous intéresse que vous êtes *safe* ? Aujourd'hui, vous pouvez le dire en toute simplicité en portant notre pendentif ou notre bague « JE SUIS SAFE ». C'est le bijou qui l'exprime à votre place. Ces magnifiques bagues et pendentifs plaqués or 14 carats sont un excellent moyen de briser la glace et d'amorcer la conversation. Alors, ne vous compliquez plus la vie. Annoncez aux autres que vous êtes *safe* grâce à nos bagues et pendentifs « JE SUIS SAFE ».

C'en était trop. Il grommela et jeta le magazine par terre, attirant l'attention des fans des Forty-Niners. Il leur fit un sourire penaud, quitta les lieux sans s'expliquer davantage et marcha tout droit vers sa voiture.

Quand il revint à Barbary Lane, le soleil baignait la cour pour la première fois depuis des semaines. Des fumerolles de vapeur, comme autant de fantômes amicaux, flottaient au-dessus du sol quand il passa le portail. Il s'arrêta pour savourer la douce odeur humide et boisée qui lui chatouillait les narines.

Une silhouette qui se dressa derrière une haie le fit sursauter.

— Oh... Madame Madrigal ! laissa-t-il échapper.

La logeuse s'essuya les mains sur sa robe à motifs cachemire.

— N'est-ce pas une journée magnifique ?

— Si ! Il était temps.

— Allons, allons, le gronda-t-elle, nous savions bien que le beau temps reviendrait. La question, c'était simplement : « Quand ? »

Elle embrassa du regard tout le jardin.

— As-tu vu mon plantoir, chéri ?

Il scruta les environs et secoua la tête.

— Qu'est-ce que vous plantez ? demanda-t-il.

— Des myosotis. Tu sais : ce qu'on appelle aussi « ne m'oubliez pas ». Pourquoi ne pars-tu pas pour Londres ?

— Vous vous y mettez, vous aussi !

Elle l'avait attaqué par surprise et elle le reconnut :

— Bon, laisse tomber. C'est l'égoïsme qui m'a fait parler. Pourtant... Cela m'aurait fait vivre une aventure tellement excitante ! Par procuration, ajouta-t-elle en arrangeant une boucle sur sa tempe. Oh, et puis après tout... On n'y peut rien.

Ces derniers temps, Mme Madrigal avait laissé tomber son petit numéro de vieille dame dépassée par les événements. Michael ne put s'empêcher de sourire en constatant ses efforts.

— J'espère que Mary Ann vous a aussi précisé que c'était une question de finances.

— Oui, elle me l'a précisé.

— Alors ?

— Je ne suis pas aussi naïve qu'elle.

Elle trouva son plantoir et le fourra dans la poche de sa robe. Puis elle en sortit une enveloppe en papier jaune et la tendit à Michael.

— En conséquence, j'écarte ce prétexte grâce à ceci. Il va falloir que tu te trouves une autre excuse.

Il ouvrit l'enveloppe et en sortit un chèque de mille dollars.

— Madame Madrigal... C'est extrêmement gentil, mais...

— Ce n'est pas gentil le moins du monde. C'est un investissement réalisé de sang-froid. Je te donne pour mission d'aller à Londres et de nous en rapporter quelques bonnes histoires.

Elle se tut, mais ses grands yeux bleus demeurèrent posés sur lui.

— Nous avons besoin que tu fasses cela pour nous, Michael.

Il ne trouva rien à répondre.

— L'argent n'est pas la vraie raison, n'est-ce pas ? À mon avis, c'est plutôt autre chose, non ?

Elle s'assit sur le banc au fond de la cour, et tapota la place libre à côté d'elle.

— Je sais que tu penses à Jon : tu n'as pas encore tourné la page...

Comme d'habitude, elle l'avait attiré à l'endroit qu'il fallait. Il se trouvait assis à moins de trois mètres de la plaque de bronze qui marquait l'endroit où les cendres de Jon avaient été enterrées.

— Je ne suis pas sûr d'en être capable un jour, soupira-t-il.

— Il le faut, répliqua-t-elle. Qu'aurais-tu voulu qu'il sache de plus ?

— Je ne comprends pas.

— Je veux dire : si nous l'avions de nouveau avec nous... Quelles dernières affaires aurais-tu encore besoin de régler avec lui ?

Il réfléchit un moment, puis :

— Je lui demanderais ce qu'il a fait des clés de la boîte à outils.

— Et quoi d'autre ? interrogea Mme Madrigal, souriante.

— Je lui dirais que c'était trop con de sa part de traîner avec ces folles prétentieuses.

— Continue.

— Je lui dirais que je suis désolé d'avoir mis aussi longtemps à me rendre compte de ce qu'il représentait pour moi. Et que je regrette que nous ne soyons pas allés à Maui comme il l'avait proposé.

— Très bien.

— Et... que j'ai porté son beau blazer pendant qu'il était à l'hôpital et que quelqu'un y a fait un trou de cigarette à la manche et que je ne lui ai jamais dit... et que je l'aime énormément.

— Il le sait déjà.

— Alors, je le lui redirais.

Mme Madrigal se frappa sur les cuisses d'un air enjoué.

— Est-ce que ça ira comme ça ?

— Plus ou moins.

— Bien. Je m'en occuperai.

Il la regarda sans comprendre.

— Il aura le message, chéri. Je lui parle au moins deux fois par semaine.

Elle tapota de nouveau le banc.

— Ici même.

Elle se pencha et l'embrassa doucement sur la joue.

— Pars à Londres, Michael. Tu ne le perdras pas, cette fois. Il fait partie de toi pour toujours.

Il s'effondra dans ses bras, le visage ruisselant de larmes.

— Écoute-moi, mon enfant, lui chuchota-t-elle à l'oreille. Je veux que tu coures le long de la Tamise sous la lune, que tu enlèves tous tes vêtements et que tu plonges dans la fontaine de Trafalgar Square. Et je veux que tu... aies une liaison torride avec un des gardes de Buckingham Palace.

Il éclata de rire, toujours dans ses bras.

— Alors, tu acceptes l'argent de la vieille ?

Il ne réussit qu'à hocher la tête.

— Bien. *Bien.* Maintenant, cours chez Mary Ann et dis-lui de tout arranger.

Il avait atteint la porte d'entrée quand elle mit fin à la conversation par ces mots :

— Quant aux clés de la boîte à outils, elles sont sur un crochet dans la cave.

Une idée de génie

La veille du départ de Michael, Mary Ann se retrouva dans l'obligation de passer la nuit au zoo de San Francisco pour attendre la naissance d'un ours polaire. Elle bivouaqua avec son équipe pendant sept heures à côté de l'iceberg en ciment que Blubber, la future mère, était bien forcée d'appeler son chez-elle. Alors qu'approchait la huitième heure, Connie Bradshaw arriva, voûtée sous le poids de sa grossesse comme une noble bête de somme.

— Salut ! À ton bureau, on m'a dit que je te trouverais ici.

J'avais bien besoin de ça ! pensa Mary Ann. *Le fantôme des années Cleveland !*

— Oui, répliqua-t-elle d'un ton morne, et si ça

continue comme ça, ça risque de devenir un poste permanent.

— Où elle est ? demanda Connie en scrutant la tanière de Blubber à travers les barreaux.

— Là-bas, indiqua Mary Ann. Dans son trou. Elle ne raffole pas des caméras.

— Je m'en doute, la pauvre chérie ! Qui aimerait ça, dans sa situation ?

— Les femmes qui passent dans les émissions médicales ont l'air d'apprécier... fit Mary Ann en haussant les épaules.

— Beurk ! grimaça Connie. Brailler, hurler, suer... et puis après faire des coucous au bébé avec un air de godiche. Il n'y a que les humains pour être aussi bêtes !

— Je suis sûre que Blubber est d'accord avec toi, mais elle n'a pas tellement le choix. Il y a des cœurs qui demandent à être réchauffés, là-bas, dans la ville impitoyable.

Connie jeta un regard désenchanté sur l'iceberg, puis elle se retourna vers Mary Ann.

— Tu as droit à une pause pour prendre un Coke Light avec moi ?

Mary Ann hésita.

— Ça ne sera pas long, ajouta Connie. Tu veux bien ?

— D'accord, répondit-elle, cédant à la curiosité. Mais juste un moment : Blubber a l'air prête à mettre bas.

Elle précisa où elle serait à son cameraman, puis elle alla rejoindre Connie sous l'un des parasols Cinzano du snack-bar voisin. Son ancienne copine d'université avait pris une expression de sollicitude soucieuse.

— Je ne vais pas tourner autour du pot, ma vieille. Est-ce que t'as cassé le morceau, avec Brian ?

Mary Ann commençait à se sentir prise au piège.

— Non, fit-elle d'un ton neutre. Pas encore.

— Super ! s'exclama Connie avec un grand sourire. Jusque-là, tout va bien.

Mary Ann serra les dents : mais qu'est-ce qui pouvait donc aller si bien jusque-là ?

— J'ai sacrément réfléchi à la question, continua Connie. Et j'ai eu une idée de génie.

Depuis la fois où elle l'avait traînée aux soirées pour célibataires du Safeway de la Marina, les idées de génie de Connie ne présageaient rien de bon pour Mary Ann.

— Je ne sais pas, objecta-t-elle. S'il s'agit d'être enceinte, je préférerais...

— T'as même pas envie de l'entendre? demanda Connie, effondrée.

— Eh bien... Je te remercie de te donner cette peine...

— Écoute-moi seulement. O.K. ? Ensuite, je me tais. Ce n'est pas aussi bizarre que tu l'imagines.

Mary Ann en doutait, mais elle acquiesça avec réticence et prit une gorgée de Coke pour se donner du courage.

Connie sembla totalement soulagée.

— Tu te souviens de mon petit frère Wally ? commença-t-elle.

Mais, se demanda Mary Ann, comment se fait-il que les gens de votre ville natale s'attendent toujours à ce que vous vous souveniez d'infimes détails remontant à quinze ans, de choses qui n'avaient en plus pas la moindre importance à l'époque ?

— J'ai bien peur que non, avoua-t-elle.

— Sûrement que si.

— Connie... Cleveland, c'était il y a des années.

— Ouais, mais Wally te livrait ton journal. Il livrait tous les journaux de ce quartier de Ridgemont.

Une vague lumière se fit dans l'esprit de Mary Ann. Wally était un môme un peu niais, avec des oreilles en feuilles de chou, qui avait la sale habitude de massacrer les pétunias avec sa bicyclette.

— Ah oui, concéda-t-elle. Bien sûr, bien sûr.

— Eh bien, Wally fait sa médecine, maintenant.
— Oh, mon Dieu ! s'écria Mary Ann.
— Je sais, convint Connie. Ça donne un peu l'impression d'être devenue une antiquité !... Sacré beau mec, d'ailleurs, si je peux me permettre !

C'était presque impossible à imaginer, pensa Mary Ann, mais elle ne releva pas. Elle avait la désagréable impression qu'elle savait déjà où cette conversation allait la mener. Tout ce qu'elle pouvait faire, c'était prier pour que l'ourse polaire entre en travail et la sauve de cette embarrassante situation.

— Bref, Wally et des amis à lui font de temps en temps des dons à la banque de sperme d'Oakland.

Et pan ! Gagné ! En plein dans le mille.

— Ce ne sont pas vraiment des dons, poursuivit Connie, parce qu'on les paie pour ça. Pas grand-chose. Un petit peu, tu vois... De l'argent de poche, quoi !
— Un peu de liquide en échange de liquides !
— Exactement.
— Et puis, ironisa Mary Ann, comme à la cité universitaire ils n'ont rien à faire de toute la nuit dans leur chambre...

Connie se décomposa :
— Excuse-moi. Laisse tomber, je n'aurais jamais dû aborder le sujet.

Et elle, Mary Ann, n'aurait jamais dû essayer de faire de l'esprit avec Connie Bradshaw.

— Bon, fit-elle le plus gentiment qu'elle put, j'apprécie l'attention, je t'assure. Sauf que ça ne me convient pas, c'est tout. Les gens de l'hôpital me l'ont déjà proposé, mais... Eh bien...
— Moi qui pensais que ce serait parfait, se lamenta Connie.
— Je sais.
— Ils ont trois réservoirs de congélation, à la banque de sperme : un pour les donneurs identifiés, un pour les inconnus et un de plus pour le cas où leur

congélateur lâcherait. Les échantillons de Wally sont mis dans le réservoir « inconnus », mais je me disais qu'on pourrait peut-être obtenir sa référence, ou encore le faire transférer dans le réservoir « identifiés »... Alors, tu aurais su l'origine de ce qu'on te donnait.

— C'était très délicat de ta part. Vraiment.

Pas aussi délicat que la vision d'horreur qui se formait dans son cerveau : une pipette débordant de la semence de son ancien livreur de journaux.

— Sans compter, continuait Connie sur sa lancée, que ça semble la meilleure solution si tu veux être enceinte sans dire à Brian que ce n'est pas lui le père. En ce qui concerne Wally, il n'y aurait aucun lien et... eh bien, ça serait parfait pour tout le monde.

Et l'heureux événement serait la nièce ou le neveu de Connie. C'était touchant de penser que Connie considérait peut-être cet arrangement — consciemment ou non — comme un moyen de cimenter une amitié qui n'avait jamais vraiment tenu. En fait, c'en était presque attendrissant.

— Connie, je me précipiterais sur Wally dans la seconde si je pouvais supporter une insémination artificielle.

— Ce n'est pas compliqué du tout, tu sais. Ils te font suivre des cours dans une classe spécialisée et... Et c'est toi qui diriges les opérations. Enfin, du sperme, ce n'est jamais que du sperme, hein ?

— Je sais, Connie. De plus, on te le livre avec un applicateur tout à fait attrayant.

— Comment ?

— Bon Dieu, essaie de comprendre... Je sais que c'est facile. Je sais que des tas de gens le font. Je sais très bien que tu as raison. Mais c'est l'artifice qui m'arrête net.

Elle baissa la voix jusqu'au chuchotement.

— Je n'y peux rien, Connie. Je veux qu'on me baise, pour avoir un bébé.

Connie resta bouche bée.

— Tu veux que Wally te baise ?

— *Non!* s'écria Mary Ann avec une telle véhémence qu'une Chinoise assise à la table voisine leva les yeux de son chili. Je disais cela dans un sens général. Je veux que ce bébé naisse d'un acte d'amour. Ou... au moins, d'affection. Tu peux tenir ma mère pour responsable : c'est ce qu'elle m'a enseigné, et voilà, je suis coincée.

— C'est stupéfiant.

— Qu'est-ce que tu veux dire ?

— Eh bien... Je t'ai vue à la télé. Tu as l'air tellement *branchée* !

— Connie... C'est *moi*, Mary Ann. Tu te rappelles ? La vice-présidente des Futurs Bâtisseurs de l'Amérique.

— Ouais, mais tu as vachement changé !

— Pas tant que ça, dit Mary Ann. Crois-moi.

Une voix les interrompit :

— Mary Ann ! Ça y est !

C'était son cameraman, porteur d'une heureuse nouvelle. Elle bondit sur ses pieds.

— C'est à moi de jouer ?

Deux minutes plus tard, un ourson trempé tombait avec un bruit mou sur le sol en ciment sans que sa mère pousse le moindre grognement.

— Les animaux ont tellement de facilité ! observa Connie en regardant la scène de loin.

Mary Ann passa le reste de l'après-midi à monter le reportage dans les bureaux de la chaîne. Au moment de rentrer chez elle, à la tombée de la nuit, le vigile de l'entrée lui tendit une enveloppe en kraft.

— Une dame m'a demandé de vous donner ça.

— Quel genre de dame ?

— Une dame enceinte.

— Génial... bougonna-t-elle.

Elle ne l'ouvrit qu'une fois montée dans sa

Renault 5 Le Car, garée dans une impasse près de Van Ness. L'enveloppe contenait deux brochures et un petit mot d'accompagnement :

Mary Ann,

Ne saute pas au plafond, O.K. ? Je te laisse ça parce que je crois que ça t'expliquera les choses mieux que moi. Entre nous, Wally a tiqué quand il s'est rendu compte que je ne t'avais pas donné de documentation. On se voit bientôt ? Bisous,

Connie.

Elle ne parvint pas à décider ce qui l'exaspérait le plus : le tempérament constamment enjoué de Connie (avec ce style qu'elle avait adopté des années plus tôt à force de dédicacer des dizaines d'albums photos du Central High College) ou la certitude que la stérilité de Brian était maintenant devenue un grand sujet de conversation chez les Bradshaw.

Elle se mit en devoir de lire l'une des brochures :

Nous sommes convaincus que les femmes ont le droit de maîtriser leur propre reproduction et, ce faisant, de déterminer si elles désirent être enceintes, quand et comment. L'insémination par donneur est un procédé qui consiste, afin de fertiliser un ovule et de provoquer la grossesse, à introduire la semence par le vagin et le col de l'utérus grâce à un appareil. La semence utilisée peut-être fraîche ou congelée.

La sécurité et l'efficacité de ce procédé sont attestées. Actuellement, aux États-Unis, entre 15 000 et 20 000 enfants sont conçus chaque année par insémination artificielle. Depuis la Seconde Guerre mondiale, plus de 300 000 enfants sont nés grâce à cette méthode et depuis 1776, époque où la technique de congélation du sperme a été découverte, plus d'un million d'enfants sont...

Mary Ann frémit et laissa tomber le livret. Du sperme congelé durant la guerre d'Indépendance ? Et ça s'était passé où, ça ? À *Valley Forge* ? Brian avait au moins eu raison sur un point : 1984 n'était pas loin. Si la science avait progressé au point que les enfants puissent être conçus sans acte sexuel, il y avait vraiment quelque chose qui clochait.

Non. Elle ne pouvait pas se résoudre à cette solution.

Si c'était ça, l'avenir, elle n'était pas prête à l'affronter.

Elle dirait la vérité à Brian. Ils iraient passer le week-end ensemble quelque part. Elle serait douce et aimante et il accepterait. Peut-être pas au début, mais il finirait bien par accepter. Il y serait *obligé*. Il n'y avait pas d'autre moyen.

Il faisait nuit noire quand elle arriva enfin chez elle. Alors qu'elle cherchait sa clé sous le porche d'entrée, elle vit une autre enveloppe en kraft posée au-dessus des sonnettes. Elle était sur le point de pousser un cri lorsqu'elle s'aperçut qu'elle était adressée à Mouse. Elle la prit et alla frapper chez lui.

— Entre, répondit-il.

Il était penché sur son canapé, en train de ranger ses vêtements dans une valise.

— Salut, Babycakes.

— Salut. Quelqu'un a laissé ça à l'entrée, annonça-t-elle en posant l'enveloppe sur une chaise.

Il jeta un coup d'œil dessus, tout en continuant de faire ses bagages.

— Ça doit être Ned. Il devait déposer un petit cadeau avant mon départ.

— Ah.

— Assieds-toi, proposa-t-il. Parle-moi.

Elle s'assit et remarqua une autre valise par terre.

— Tu prends beaucoup de choses pour un seul mois, tu ne trouves pas ?

— Juste cette valise, protesta-t-il.

— Et celle-là ? s'enquit-elle en désignant la deuxième valise.

— Oh. Elle est à Simon. Il l'a laissée tout à l'heure. Il dîne à Washington Square.

— Je vois.

Il lui lança un regard espiègle :

— Pourquoi ne m'as-tu pas dit qu'il était aussi beau mec ?

Elle haussa les épaules et s'efforça de ne pas rougir.

— Tu ne me l'avais pas demandé.

— Je m'attendais à tomber sur un mec aux dents de travers et aux oreilles décollées, mais ce type ressemble à Brian... en plus mince.

— Tu trouves ?

— Ne me raconte pas que tu n'avais pas remarqué !

— Non. Pas vraiment.

— Alors, regarde mieux, femme.

— Ce sont des jeans neufs ?

— Ceux-là ? demanda-t-il en soulevant la paire qu'il était en train de ranger. Je les ai achetés aujourd'hui.

— On dirait qu'ils sont noirs.

— Ils *sont* noirs. C'est la folie, en ce moment. Regarde, ajouta-t-il en les plaquant contre lui, la veuve Fielding s'en va à Londres !

— Tu es affreux ! se récria-t-elle.

— Eh bien, je crois qu'ils n'en ont pas encore là-bas. Je pense que je pourrais même les vendre, en cas de besoin.

— Les vendre ?

— Bien sûr, fit-il en rangeant soigneusement les jeans dans la valise. Je me souviens que les jeunes Américains payaient comme ça leurs voyages en Europe.

— C'était il y a des siècles, Mouse.

— Oui, eh bien...

— C'était quand, ton dernier séjour à Londres ?

— Euh... À la fin des années soixante.

— C'est-à-dire ?

— 67.

— Oh ! À l'époque, on disait que c'était le *Swinging London* !

— Exact.

— Et il y avait Twiggy.

— Mais Twiggy est *toujours* là ! fit-il mine de s'offusquer. Ne l'oublie pas !

— Tu avais quel âge ?

— Seize ans. C'était il y a seize ans et j'en avais seize. La moitié de ma vie. C'est là que j'ai fait mon *coming-out*, aussi.

— Ah bon ? Tu ne m'avais jamais raconté !

— Enfin... C'est là-bas que j'ai couché avec un mec pour la première fois, quoi.

— Ça revient presque au même...

— Brian s'entend bien avec Simon ?

— Attends une seconde ! Je croyais qu'on parlait de Londres...

Il tapota la poche latérale de sa valise.

— J'ai déjà mes instructions, observa-t-il.

— Quoi ?

— Simon m'a fourni un mode d'emploi de son appartement.

— Tu l'as regardé ?

— Non. Je ne le ferai pas. Je veux que ce soit la surprise totale.

Elle trouva ça logique.

— Alors ? insista-t-il.

— Alors quoi ?

— Ils s'entendent bien ?

— Mouse... Pourquoi me demandes-tu... ?

— Pour rien. Je suis juste curieux.

Elle hésita, puis :

— Je ne sais pas. Ils ont l'air de s'apprécier. Ils en pincent tous les deux pour Theresa Cross.

Michael eut une grimace horrifiée.

— Brian t'a dit ça ? s'étonna-t-il.

— Il n'y est pas obligé... Je sais bien comment il est : il n'y a pas plus cochon que lui !

Il sourit en laissant courir son imagination.

— Oh oui, je te crois ! Un homme qui te demande de mettre des jambières pour faire l'amour...

— Mouse !

Il continua de sourire avec un air faussement languide.

— Je n'aurais jamais dû te confier ça, se reprocha Mary Ann. Je savais que tu me le ressortirais. Et puis d'abord, il ne me le demande pas, c'est moi qui le fais de mon plein gré.

— J'admire les femmes qui assument leur lubricité, énonça-t-il sur un ton solennel.

— C'est la dernière fois que je te confie un détail croustillant.

— Seulement croustillant ? Tu m'as dit toi-même que ç'avait été une expérience transcendantale. Tu as prétendu que tu t'étais sentie comme une des filles de *Fame.*

Elle s'échappa dans la cuisine.

— Je me sers un verre de vin, déclara-t-elle.

— Vas-y. Et sers-m'en un par la même occasion.

Elle resta un moment devant la lumière du réfrigérateur, savourant après coup ses taquineries. Elle aimait ce garçon sentimental, adorable et marrant depuis plus longtemps même qu'elle n'aimait Brian, et cela lui réchauffait le cœur de se rendre compte qu'ils revenaient à leurs habitudes. Elle rapporta les deux verres, lui en tendit un et l'interrogea :

— Tu n'ouvres pas ton paquet ?

Il la regarda sans comprendre.

— Celui de Ned, précisa-t-elle en le désignant.

Elle supportait difficilement que les gens n'ouvrent pas leurs cadeaux sur-le-champ.

— Ah oui !

Il posa son verre et s'empara de l'enveloppe, dont il déchira un côté.

— Et le gagnant est...

Il jeta un coup d'œil à l'intérieur, puis il en sortit un mot écrit sur une carte postale qui représentait un pompier nu : *Ne fais rien que je ne ferais. Tu me manques déjà. Ton copain Ned.*

— C'est mignon, dit-elle.

Il acquiesça avec un petit sourire.

— Attends, Mouse... Il y a quelque chose d'autre, dedans.

— Ah bon ?

Elle s'empara de l'enveloppe et la secoua au-dessus du canapé. Cinq capotes en tombèrent.

— Ça alors ! fit-elle.

Mouse eut un petit sourire moqueur. Il n'avait pas l'air plus ennuyé que ça.

— C'est la façon de Ned de dire... Tu sais : « Sois prudent et amuse-toi. »

Il ramassa les préservatifs dans ses deux mains et les lui tendit.

— Tiens... C'est pour toi.

— Quoi ?

Elle était sûre d'être devenue écarlate.

— Allez, prends-les. Je suis célibataire. Ils vous serviront davantage qu'à moi.

— Euh... Mouse. Merci, mais non. O.K. ?

Il la considéra un moment, puis il remit les capotes dans l'enveloppe.

— Tu préfères la pilule, hein ?

Elle reprit son verre et le vida d'un trait.

Il but le sien lentement en l'observant par-dessus le bord.

— Tu me conduiras quand même à l'aéroport comme promis ?

— Bien entendu, tu penses ! À quelle heure ?

— Eh bien, je crois qu'il ne faudra pas partir après trois heures et demie, pour être dans les temps.

— Parfait, conclut-elle en déposant un petit baiser sur sa joue. À demain.

Quand elle arriva chez elle, elle trouva Brian en train de laver la vaisselle du petit déjeuner. Elle s'appuya contre son dos et l'embrassa dans le cou.

— Mouse est tellement excité ! dit-elle.

— On ne peut pas lui en vouloir.

— Peut-être qu'on devrait en faire autant.

Il s'essuya les mains et se retourna.

— Aller à Londres ?

— Sortir de la ville, au moins.

— D'accord. Nos économies devraient nous permettre d'arriver jusqu'à... disons... Oakland.

Elle lui toucha le bout du nez.

— C'était *exactement* ce que j'avais en tête.

— *Oakland ?*

— Bien sûr. Un week-end pour deux au *Claremont.* Tous frais payés.

— Pourquoi ?

— Comme ça, répondit-elle en essayant d'avoir l'air le plus dégagé possible.

— Non, je voulais dire : comment ça se fait que tout soit payé ?

— Ah... J'ai fait un sujet sur eux le mois dernier. C'est un cadeau.

— Pas mal.

— Je sais. Jacuzzi, sauna... Se faire rôtir au bord de la piscine ! Rien d'autre à emporter que les maillots de bain et un petit quelque chose pour s'habiller au dîner.

— Et des jambières.

— Et des jambières, répéta-t-elle. *Adjugé !* Au monsieur du troisième rang, celui qui bande !

Interrogatoire

Quand elle rentra de l'aéroport le lendemain, elle trouva Simon assis sur le banc, dans la cour. Il lui fit un petit signe enjoué en la voyant passer le portail.

— On dirait que vous avez toujours vécu ici, dit-elle.

— C'est exactement ce que je ressens, répondit-il en souriant.

— Eh bien... commença-t-elle en désignant d'un geste compassé la direction de Daly City, Mouse est en route dans l'immensité bleutée.

L'expression était aussi ridicule que le geste.

— C'était son ami ? demanda Simon en désignant la plaque de bronze.

Elle acquiesça.

— Ses cendres ?

Elle hocha la tête.

— Pas étonnant qu'il ait voulu partir d'ici, murmura-t-il d'un ton désolé.

Elle ne supportait pas de penser à Jon en ce moment précis.

— Simon... Dites-le-moi si... Enfin, vous savez : si vous avez besoin de quoi que ce soit.

— Vous m'avez déjà bien assez rendu service. Merci.

— Oh, de rien...

Elle prit conscience qu'elle était en train de reculer vers la porte comme une gamine mal à l'aise.

— Vous avez un instant ? demanda-t-il en se penchant légèrement vers elle.

— Bien sûr.

— Parfait. Venez vous asseoir, alors.

— Vous avez de la chance, dit-elle en le rejoignant. Vous avez droit à un peu de notre soleil. Votre pauvre reine n'en a pas eu du tout.

— Je suis sûr que Sa Majesté aura bien saisi l'ironie de la situation, dit-il avec un sourire paresseux.

Elle eut un petit rire forcé. Mais qu'est-ce qu'il voulait donc dire par là ? Que la reine était personnellement au courant de son escapade ? Qu'elle enviait son irresponsabilité ?

— Est-ce que la reine est quelqu'un de gentil ? demanda-t-elle.

— La reine est charmante, reconnut-il, l'air amusé.

— Vous avez eu l'occasion de lui parler ?

— Oh, trois ou quatre fois, tout au plus.

— Elle n'a pas l'air de sourire beaucoup.

— Sourire, c'est son boulot. Quand c'est votre boulot, vous dispensez vos sourires avec beaucoup de circonspection. Sinon, ça ne signifie rien.

— C'est joliment dit.

Un autre sourire ensommeillé.

— C'est la réponse officielle, observa-t-il.

— Est-ce qu'il est nécessaire d'être... disons... un lord ou quelque chose comme ça, pour être officier à bord du *Britannia* ?

— Pas du tout.

— Vous en êtes un, vous ?

Il rit de bon cœur, mais sans malice.

— Vous autres Américains, vous tombez tous dans le panneau, hein ?

Elle se sentait assez californienne pour lui en vouloir de la traiter d'Américaine.

— Oui, enfin, je crois que c'est assez naturel de se demander si...

Elle chercha vainement ses mots. Elle essayait de lui tirer les vers du nez... et cela se voyait.

Simon vint galamment à son secours.

— Le seul membre titré de ma famille proche est ma tante du côté de ma mère, une vieille mocheté devenue duchesse par son mariage, qui porte des bottes en caoutchouc et qui traîne sur les bateaux.

— La reine le fait aussi, fit-elle remarquer.

— Pas avec cette duchesse-*là*, je vous assure.

Elle rit sans vraiment savoir pourquoi.

— Et vos père et mère ?

— Ils sont tous les deux morts, répondit-il sans s'émouvoir.

— Oh, je...

— Ma mère était actrice dans le West End. Mon père était un avocat de Leeds qui est venu s'établir à Londres après avoir connu ma mère. Et vos parents ?

Elle fut prise momentanément de court.

— Oh... Eh bien, mon père tient une boutique d'électricité et ma mère est femme au foyer. Ils habitent Cleveland, ajouta-t-elle avec l'impression d'être la candidate d'un jeu télévisé.

— Cleveland... Dans l'Indiana, n'est-ce pas ?

— L'Ohio.

— Ils doivent être très fiers de vous, fit-il avec un hochement de tête appréciateur.

— Je crois que oui. Ils ne me voient pas à la télé, évidemment, étant donné que je suis... Enfin, vous savez : sur une chaîne locale. Mais je leur envoie les numéros de *TV Guide* quand je suis dedans. Ce genre de choses. Vos parents devaient être très jeunes quand ils sont morts.

— Mmm... Très. J'étais encore à Cambridge.

Il devança la question suivante, semblant amusé par la curiosité de Mary Ann.

— C'était dans un accident d'auto. Sur la M1. Vous savez ce que c'est, la M1 ?

— Une autoroute, j'imagine ?...

— C'est ça.

— Votre mère était une bonne actrice ?

Il sembla réfléchir à la question :

— En fait, je ne me le suis demandé que dernièrement. À l'époque, je pensais qu'elle était merveilleuse. Elle était drôle. Et très belle.

— Logique.

Il ne releva pas l'ambiguïté du compliment.

— Quand j'avais quatorze ans, elle m'a présenté à Diana Rigg dans les coulisses du Haymarket. J'ai trouvé que c'était la chose la plus délicieuse qu'une mère pût faire pour son fils.

— En effet... murmura-t-elle en souriant.

Il s'ensuivit un long silence durant lequel elle se souvint qu'elle avait un joint dans son sac.

— J'avais presque oublié, dit-elle à Simon. Vous n'avez pas encore essayé la Reine Mère.

— Pardon ?

— Le chef-d'œuvre des plantations maison de Mme Madrigal ! expliqua-t-elle en sortant le joint.

— Ah !

Elle l'alluma, en prit une bouffée et le lui tendit.

— J'en ai roulé quelques-uns pour le trajet jusqu'à l'aéroport. Comme ça, Mouse n'a même pas eu de vague à l'âme pendant le décollage.

Simon ne répondit pas, retenant la fumée dans ses poumons. Elle l'observa, impressionnée par la dignité qu'il conservait en se livrant à ce rituel presque ridicule.

— Très savoureuse, dit-il enfin.

— Mmm, n'est-ce pas ?

— Mon histoire vous intéresse toujours ?

Elle pensa un instant qu'il l'accusait de tenter d'affaiblir sa résistance avec l'herbe. Puis elle se rendit compte que la question était sincère.

— Vous voulez dire... ?

— Le sujet sur moi : UN OFFICIER DE LA REINE DÉSERTE À SAN FRANCISCO.

— Je crois que je peux le traiter avec plus de subtilité que ça, dit-elle en souriant.

— Vous voulez encore le faire ? interrogea-t-il en lui passant le joint.

Elle hésita.

— Simon, j'étais sincère quand j'ai dit que je ne ferais rien si...

— Je sais. Vous vous êtes conduite d'une manière très honorable.

Il reprit le joint et en tira une autre bouffée.

— J'y ai réfléchi, Mary Ann. Franchement... Je ne vois pas quel mal cela ferait. À condition que vous soyez toujours partante, évidemment.

Elle ne répondit rien, se demandant quelles étaient ses motivations.

— C'est ce que vous voulez ? s'enquit-il tranquillement.

— Oui.

— Alors c'est aussi ce que je veux.

— Simon...

— Je me réserve le droit de regard final, cela va sans dire. Je ne veux causer de tort à personne.

— Pas de problème.

Un autre sourire, un peu plus chaleureux que le précédent, puis il s'écria :

— Merveilleux ! Nous faisons affaire, alors ?

— Je pense bien !

— Quand commençons-nous ?

Brian fit soudain son apparition au portail, essoufflé, en short et débardeur. Simon avait le dos tourné, mais il sentit un changement dans l'expression de Mary Ann et se retourna.

— Salut !

— Salut, répondit Brian, en courant sur place.

— On goûtait la nouvelle herbe ! lança-t-elle gaiement.

— Je vois.

Il s'était mis à secouer les bras comme une marionnette prise dans une tempête.

— Vous courez régulièrement ? demanda Simon.

— Autant que possible, répondit Brian, pas du tout disposé à perdre son temps en amabilités.

— Il faudra me montrer où vous allez. Je me suis affreusement négligé côté sport.

— Ça se voit, lâcha Brian en s'engouffrant dans la maison.

Simon se retourna vers Mary Ann avec un sourire déconcerté.

— Vous n'y êtes pour rien, le rassura-t-elle.

— J'espère que non.

— Il est... Je ne sais pas : il n'est pas lui-même, en ce moment.

— Mmm.

Le joint s'étant éteint, elle le ralluma et le lui proposa. Il secoua la tête. Elle prit une longue bouffée et l'éteignit.

— Alors comme ça, vous êtes coureur à vos moments perdus ?

— Tel père tel fils.

— Vraiment ?

— Mon père et moi, nous avons tous les deux couru pour Cambridge.

— Ça fait très *Chariots de feu*, plaisanta-t-elle.

— Nous n'en étions tout de même pas à ce niveau-là ! dit-il en riant. C'était surtout pour garder la forme. Une mauvaise santé était considérée comme un grave défaut, dans la famille Bardill.

— Était ?

— Oui, dit-il, le regard de nouveau pétillant. Il ne reste plus grand-chose de la famille.

Colville Crescent

C'était comme si la pluie avait tenu à suivre Michael jusqu'à Londres. Alors qu'il empoignait sa valise et se dirigeait à grand-peine vers un taxi libre, il entendait l'averse crépiter comme des volées de graviers jetées sur l'immense voûte de Victoria Station. Le chauffeur, un homme d'une soixantaine d'années à la peau couleur de corned-beef, porta un doigt à la visière de sa casquette.

— Vous allez où, mon gars ?

— Euh... À Nottingham Gate.

— Hein ?

— Nottingham Gate, répéta-t-il, avec cette fois-ci plus d'autorité.

— Négatif, mon gars. Y a aucun endroit de ce nom-là ici. En revanche, on a un Notting *Hill* Gate...

— L'adresse exacte est 44 Colville Crescent.

— Eh ben, c'est bien à Notting Hill Gate, ça, dit le chauffeur.

— Super ! fit Michael, en s'enfonçant dans la banquette en cuir usé. Je respire !

Le vol avait été un véritable cauchemar. Malgré les effets de la Reine Mère qu'il avait fumée et surtout un steward gay charmant qui avait été aux petits soins pour lui, il n'avait absolument pas pu dormir. Quand il était arrivé à l'aéroport de Gatwick, ankylosé et la bouche pâteuse, il avait été retenu pendant presque deux heures, le temps que les douaniers se livrent à la fouille méthodique des bagages de trois cents Africains qui avaient atterri juste avant lui.

Après avoir perdu une heure de plus dans la queue du bureau de change, il était monté à bord du train bondé qui faisait la navette jusqu'à Londres et s'était retrouvé dans un compartiment jonché de papiers gras en compagnie d'un couple effronté de Texarkana qui tenait absolument à lui parler des *Forty-Niners,* malgré l'indifférence héroïque qu'il leur opposait ostensiblement.

— Vous êtes un Yankee, hein ? interrogea le chauffeur en jetant un coup d'œil dans son rétroviseur.

— Euh... oui.

— Vous avez vu ce qu'on a fait aux Argies ?

Les « Argies » ? Une équipe de football, peut-être...

— Ah, oui, c'était quelque chose !

— Et on a réussi sans avoir besoin de votre président à la noix, reprit le chauffeur avec un rire asthmatique.

Bon, ça n'était pas du sport, se dit Michael, mais de la politique.

— Remarquez, vous autres, les Yankees, vous êtes toujours les derniers à rappliquer quand y a une grande guerre. Soit vous débarquez en retard, soit vous arrivez jamais... Je dis ça, mais le prenez pas pour vous, hein !

Dans l'esprit de Michael, la lumière se fit brusquement : la guerre des Malouines ! Les « Argies », c'étaient les Argentins ! Les Américains, eux, ne les appelaient pas comme ça parce qu'ils s'en fichaient : il faut se mettre à tuer des gens pour commencer à se donner la peine de leur trouver des surnoms... Les Japs, les Boches, les Rouges, les Niaquoués... Et maintenant les Argies ! Mais lui, Michael, n'avait aucune intention de prolonger les hostilités en en discutant avec le chauffeur.

— J'aime bien votre hymne guerrier, hasarda-t-il.

— Hein ?

Le chauffeur le regarda comme s'il avait affaire à un fou.

— Votre hymne : *Don't Cry For Me, Argentina.* C'est pas ce truc-là que chantaient les troupes ?

Le chauffeur grommela, apparemment convaincu que Michael était effectivement dérangé. Qu'est-ce que cette foutue chanson avait à voir avec tout ça ? Du coup, il mit fin à la conversation et, tandis que le taxi longeait à toute vitesse les frondaisons vert pâle de Hyde Park, Michael poussa un discret soupir de soulagement.

Cela faisait seize ans qu'il n'était pas venu dans cette ville : il n'avait jamais passé autant de temps loin d'un endroit ayant représenté autant pour lui. C'était là qu'il avait perdu son innocence — ou, plus justement, qu'il l'avait retrouvée —, à une époque où les *mods* fleurissaient et où les rues grouillaient de hordes de filles aux lèvres blanches et aux cils noirs. Il avait rencontré un maçon en jeans de velours côtelé dans le parc d'Hampstead Heath et, une fois chez lui, il avait appris en un instant à quel point la vraie vie pouvait être belle, simple et réconfortante.

Le maçon ressemblait à Oliver Reed en plus jeune et plus mince, et Michael se rappelait encore les moindres détails de ce lointain après-midi : la statue du David près du lit, les cristaux de sucre brun que le type mettait dans le café, les magazines de culturisme posés un peu partout au vu de tous, et le contact soyeux de son scrotum peu poilu. Le premier, semblait-il, était celui dont on se souvenait toute sa vie.

Où était-il, maintenant ? Quel âge pouvait-il avoir : quarante-cinq ans, cinquante ?

Le taxi prit à gauche à Marble Arch, un repère qu'il reconnut, puis il sembla suivre Bayswater Road le long d'un vaste jardin public. Lequel ? Impossible de se rappeler. Assommé de fatigue et déprimé par la pluie, Michael se remonta le moral en observant les symboles anglais qu'ils croisaient.

Une boîte à lettres d'un rouge brillant...

Les bandes blanches d'un passage piétons comme celui de la pochette d'*Abbey Road*...

L'enseigne d'un pub qui se balançait dans le vent...

Le jeu se corsa quand le taxi pénétra dans une zone de pizzerias et de restaurants exotiques aux devantures épouvantablement criardes. Ce n'était pas un quartier déplaisant, non, mais curieusement assez peu british — plus le genre Haight-Ashbury que tout ce qu'il avait rencontré lors de sa précédente visite.

Le quartier, pourtant, redevint par la suite plutôt résidentiel. Michael aperçut des rues bordées d'arbres, des rangées de maisons victoriennes imposantes dont les façades s'écaillaient, et des enfants noirs qui chahutaient sous la pluie, devant un mur de briques jaunes sur lequel avait été bombé : LE MARIAGE PRINCIER C'EST DE LA MERDE.

Il repéra soudain, au coin de deux rues, une plaque où était écrit : « Colville ».

— C'est là, non ? demanda-t-il au chauffeur.

— Ça, c'est Colville Terrace, mon gars. Vous, vous allez à Colville Crescent. C'est juste un peu au-dessus.

Trois minutes plus tard, le taxi s'arrêtait. Michael scruta les alentours avec une angoisse grandissante.

— C'est là ?

— Vous m'avez dit le numéro 44, non ? demanda le chauffeur, agacé.

— Oui.

— Alors c'est là, mon gars.

Michael jeta un coup d'œil au compteur (un modèle digital qui détonnait dans un taxi classique) et tendit au chauffeur un billet de cinq livres en le priant de garder la monnaie. Le pourboire qu'il laissait était exorbitant, mais il voulait prouver qu'un homme qui ne connaît rien à la guerre et aux rues pouvait être aussi généreux que n'importe qui.

Le chauffeur le remercia et démarra.

Michael resta debout à contempler bouche bée la maison de Simon. Le crépi de la façade, apparemment rongé par l'humidité, était taché par endroits de larges plaques lépreuses qui laissaient voir des briques du XIXe siècle. Sans qu'il sût pourquoi, cette façade défigurée lui pinça le cœur, comme la vue d'un os dans une fracture ouverte.

Il abandonna le faible espoir qu'il existât vraiment un Nottingham Gate quelque part, et dépassa les poubelles retournées devant la porte d'entrée du bâtiment à trois étages. Son angoisse devint réelle lorsqu'il trouva le nom BARDILL inscrit sur une carte près de l'alignement des sonnettes.

Il posa sa valise devant la porte, trouva la clé et la fit tourner dans la serrure. Il se retrouva devant un sombre couloir. Il découvrit l'interrupteur — le modèle rond sur lequel il faut appuyer — sur un mur tapissé d'un papier peint à motifs de roses violettes. La porte de l'appartement de Simon, au rez-de-chaussée, était au bout du couloir, à droite. Le temps qu'il trouve la bonne clé et la glisse dans la serrure récalcitrante, il fut plongé dans des ténèbres si noires qu'il crut momentanément être devenu aveugle.

L'interrupteur ! Bien sûr, c'était une minuterie... Il se souvint de cette particularité européenne pleine de bon sens qu'il avait remarquée lors de sa précédente visite. À l'époque, il l'avait trouvée charmante, comme les porte-serviettes chauffants et les bouilloires électriques qui s'éteignent automatiquement juste après avoir sifflé.

Il tourna la poignée et poussa la porte d'un coup d'épaule. La lumière inonda le couloir de l'appartement de Simon. Une odeur infecte, comme celle d'un vieux chien malade, le submergea. Il retint son souffle et fonça sur la première fenêtre venue qu'il entrouvrit suffisamment pour laisser passer un filet d'air parfumé de pluie.

Comme Simon l'avait promis, la hauteur de plafond du salon atteignait quatre mètres, ce qui lui donnait une curieuse allure de sordide élégance. « Miteux » était le terme qu'il avait employé et c'était un mot relativement juste pour qualifier les meubles bancals et abîmés, provenant sans doute de brocantes, que le lieutenant avait groupés autour de la cheminée qui ne fonctionnait plus. Les murs vert pâle étaient décorés de gravures victoriennes, seule concession à l'esthétique. La chaîne hi-fi de Simon et une pile de disques complétaient ce sinistre tableau.

Michael s'engagea dans un étroit couloir qui le mena à la chambre. Il y laissa tomber sa valise et s'assit lourdement sur le bord du lit, en s'ordonnant de ne pas tirer de conclusions hâtives. Il était épuisé par ses dix heures de vol, et ce désespoir qui montait en lui était peut-être dû à la fatigue, sans parler du repas pris en route qui lui restait sur l'estomac et le malmenait comme un rongeur agonisant.

Il devait être près de midi. Ce qu'il lui fallait, c'était un bain chaud et un bon somme. Quand il se réveillerait, l'émerveillement qu'il avait naguère éprouvé serait de retour et lui rendrait son inestimable capacité à trouver du pittoresque aux pires situations. À quoi fallait-il qu'il s'attendît, de toute façon ? À une version aseptisée, façon Disney, du charme anglais ?

Oui, décida-t-il en voyant la salle de bains. Il s'était attendu à quelque chose dans le genre de la mignonne petite maison des *101 Dalmatiens,* quelque chose avec des roses dans le jardin, des lambris et — mais oui, rien d'autre ! — des porte-serviettes chauffants dans la salle de bains. Au lieu de quoi, il se trouvait maintenant dans une pièce exiguë qui sentait la pisse et qui avait été peinte en bleu et blanc pour imiter le ciel et ses nuages. Comme dans une boulangerie bio de Berkeley.

La baignoire avait des pieds, détail à mettre au crédit du pittoresque, mais l'eau cessa de couler chaude à peine eut-elle atteint le niveau de ses genoux. Il resta dedans, immobile, abattu et désillusionné, se reprochant d'avoir accepté cet échange d'appartements avec un hétéro qu'il ne connaissait même pas.

Un peu plus tard, il s'affala dans le lit, mais il ne parvint pas à s'endormir avant une bonne heure. Alors qu'il sombrait dans le sommeil, il eut la vague impression d'entendre la pluie cribler la terre du « jardin » et un autre bruit, plus rythmé. Étaient-ce... des tambours ?

Lorsqu'il s'éveilla, il faisait nuit. Il chercha l'interrupteur à tâtons, puis il se rendit dans la cuisine pour évaluer ce dont il allait avoir besoin. Évidemment, il n'y avait rien à manger — hormis quelques pâtes moisies et une boîte de harengs ; quant à la vaisselle, elle était quasi inexistante.

Pour commencer, se dit-il, il allait acheter des céréales et du lait, du pain et du beurre de cacahuètes. Mais ce serait pour le lendemain. Ce soir-là, il trouverait un pub dans le quartier, qui servirait des *Scotch eggs* et des *Cornish pasties,* et il se soûlerait comme l'exigeait la situation.

Revenu dans la chambre, il décida d'officialiser les choses en défaisant ses bagages. Il en avait presque terminé lorsqu'il se souvint du mot de Simon qu'il avait fourré dans la pochette de sa valise. Il s'assit sur le lit pour le lire.

Michael,

J'ai pensé que quelques conseils relatifs aux innombrables énigmes du 44 Colville Crescent te seraient utiles. L'eau chaude (ou plus exactement sa rareté) te paraîtra un peu ennuyeuse, je le crains. Tu trouveras le réservoir dans un renfoncement entre le petit coin et la cuisine, si jamais tu as des difficultés avec ça. (Pour tout problème grave, adresse-toi à Nigel Pearl, plombier à Shepherd's Bush. Tu verras son numéro sur la porte du frigo).

L'arrêt automatique de la chaîne ne fonctionne pas. Le chauffage central a été arrêté pour la saison, mais je doute que tu en aies besoin. Il y a une courtepointe dans le placard de la chambre, tiroir du bas. L'un des pieds au lit, comme tu as déjà dû le remarquer, tient grâce à ma belle collection d'exemplaires du Tatler's, *pour laquelle c'est d'ailleurs l'endroit rêvé.*

Pour les courses de base, je te recommande Europa Foods, à Notting Hill Gate. Pour les produits d'hygiène, je te conseille Boots, une pharmacie (ou « drugstore », comme vous dites dans votre idiome si particulier). Pour les vraies drogues, tente ta chance avec l'un des messieurs noirs d'All Saints Road, mais ne va là-bas sous aucun prétexte pendant la nuit. Leur herbe ne vaut pas la vôtre, mais fait très bien l'affaire pour peu qu'on la mélange avec du hasch.

La cuisinière à gaz ne devrait poser aucun problème. La poubelle est sous l'évier, avec les produits de nettoyage, seaux, pelle et balayette, etc. S'y trouve également un robinet. Si jamais une fuite survenait, ferme-le (dans le sens des aiguilles d'une montre) pour bloquer l'arrivée d'eau.

La laverie et la teinturerie sont situées tout près, au carrefour de Westbourne Grove et de Ladbury Road. L'Electric Cinema de Portobello Road passe de bons vieux films, si tu aimes le genre Glen ou Glenda *(mon préféré) et les rétrospectives Jessie Matthews.*

Une certaine Miss Treves (pour moi, c'est Nounou Treves) passera de temps en temps s'occuper de la maison. Dis-lui qui tu es et précise que tu fais partie de mes amis. Si elle te pose des questions sur ma désertion (et elle le fera, tu peux me croire), raconte-lui ce que tu sais et informe-la que je serai rentré avant Pâques. Je lui donnerai tous les détails croustillants par courrier. Miss Treves est désormais manucure, mais elle a été ma nourrice pendant des années. Elle se fait du souci pour moi depuis le jour où je lui ai échappé au British Museum (j'avais six ans), et il y a des chances qu'elle te paraisse un peu angoissée. C'est tout ce que tu as besoin de savoir sur elle. Tu te rendras compte du reste — c'est-à-dire, du plus évident — par toi-même et, j'en suis sûr, tu t'en arrangeras avec ta grâce et ta galanterie habituelles. Londres t'appartient.

Simon

La lettre, rédigée d'une écriture en pattes de mouche sur du papier pelure bleu ciel, procura à Michael l'impression qu'il n'était pas seul dans l'appartement. En la lisant, il avait en quelque sorte entendu la voix de Simon. Finalement, l'endroit n'était pas si terrible.

Après tout, se dit Michael, tout ce qu'il me faut, c'est seulement un camp de base à partir duquel explorer la ville.

Mais c'était quoi, le « plus évident » qu'il était censé découvrir bientôt concernant l'ancienne nourrice de Simon ?

Et qu'est-ce que c'était qu'une courtepointe ?

Pour répondre à cette dernière question, il examina le contenu du tiroir du bas dans l'armoire de la chambre. Il y trouva un édredon élimé, fané par de nombreuses lessives. Il le serra contre sa joue un moment, comme une ménagère dans une pub pour un adoucissant, laissant libre cours à un soudain et inexplicable accès de tendresse envers cet accessoire domestique si commun. Le chauffage ne marchait pas ? Et alors ? Puisqu'il avait un édredon qui lui tiendrait chaud !

Il acheva de défaire ses valises, fit l'inventaire de ses curieuses nouvelles devises et sortit dans la nuit. Il était environ neuf heures. La pluie avait cessé, mais les étals du marché de Portobello Road — vides et dépouillés — étaient encore couverts de gouttes. Au coin de la rue, alors qu'il quittait Colville Crescent et entrait dans Colville Terrace, il fut accueilli par les lumières jaunes d'un pub et la voix de Boy George.

Une fois à l'intérieur, il commanda du cidre, la variété européenne alcoolisée qui lui avait tellement plu lorsqu'il était adolescent à Hampstead. Les autres clients étaient manifestement issus de la classe ouvrière. Deux types à casquette, au visage couleur de pudding, discutaient au bar avec animation, tandis qu'un rasta en *dreadlocks* sirotait une brune à une table voisine des jeux vidéo.

Comme il avait englouti son cidre en un éclair, il en commanda un deuxième pour faire passer ses deux *Scotch eggs.* Le temps d'avaler le troisième, il en était déjà à adresser des clins d'œil à une grosse dame assise en face de lui sous un miroir à caractères dorés. Elle avait largement passé la quarantaine et s'était sans doute maquillée avec une truelle, mais tandis qu'elle buvait seule, tout en agitant ses gros mollets en rythme sur *Abracadabra,* il y avait quelque chose de presque chaleureux dans sa bonne humeur. Elle lui rappela l'un de ces piliers de bar que l'on voyait dans la bande dessinée d'*Andy Capp.*

Il alla au comptoir et commanda une bière pour la dame, puis, débordant d'amour du prochain, il fit une dernière œillade à cette brave sœur et sortit en titubant dans la rue, pour faire la paix avec Londres.

Du temps à revendre

Chez *Perry,* la foule qui se pressait au déjeuner était encore plus tapageuse que d'habitude, mais Brian avait réussi à la supporter en se rappelant que, dans quatre heures, il s'échapperait pour le week-end. Il rapportait la commande qu'avait renvoyée un client chipoteur (« Ne me dites pas que vous appelez ça *bleu* ? ») lorsque Jerry le Minet se glissa près de lui avec un sourire sournois.

— Ta femme est dans mon rang, Hawkins.

— Fais en sorte que son putain de steak soit bien sanguinolent, recommandait Brian au cuisinier.

— Eh, Hawkins, tu entends ? insista Jerry.

— J'entends. Dis-lui que j'arrive dans une minute.

Il vérifia deux assiettes pour voir si elles correspondaient à ses commandes, puis s'adressa en criant à Jerry :

— Dis-lui que je suis en plein boum !

— T'inquiète pas, répondit Jerry sur le même ton.

Elle, ça doit être avec son Anglais, qu'elle est en plein dedans...

Il ruminait encore cette réflexion lorsqu'il alla voir Mary Ann dix minutes plus tard. Comme l'avait laissé entendre Jerry, Simon tenait compagnie à sa femme. Celle-ci signait un autographe pour une énorme dondon à la table voisine et ne remarqua pas sa présence. Il fallut que Simon toussât discrètement pour qu'elle levât les yeux.

— Oh, salut! fit-elle. C'est pas le moment?

— Je suis super-débordé. Je peux vraiment pas parler.

— Pas grave, répondit-elle avec un petit sourire sur le mode « Reste cool ». Je voulais simplement montrer l'endroit à Simon.

— Alors, qu'est-ce que vous en pensez? demanda-t-il au lieutenant.

— C'est... très animé.

— Ouais. Comme dans le métro de Tokyo!

Mary Ann et le lieutenant se mirent à rire, mais sans plus. Elle semblait étrangement mal à l'aise, et Brian commença à se dire qu'elle avait peut-être des raisons de l'être. Qu'est-ce qu'il lui avait pris d'amener ce mec ici, d'abord?

— C'est toujours d'accord pour ce soir? demanda-t-il à Mary Ann.

— Évidemment!

— Ma femme me pose des lapins, expliqua-t-il à Simon.

— Hé... dis donc! balbutia-t-elle.

— Bien sûr, elle a toujours une bonne raison : tremblements de terre, reines en goguette, et ourses polaires en gésine...

— Oh, excusez-moi, monsieur.

C'était l'énorme dondon qui revenait à la charge en tirant Simon par le coude.

— Je suis tellement contente que j'ai complètement

oublié de vous demander votre autographe à vous aussi.

Simon eut l'air affreusement gêné.

— Écoutez, madame, c'est vraiment charmant de votre part, mais je ne vois pas pourquoi...

— Oh, *je vous en prie*... Ma fille sera verte si je ne lui rapporte pas quelque chose qui prouve que je vous ai rencontré !

Le lieutenant lança un regard désolé à Mary Ann, puis griffonna à la hâte son nom sur le menu. Il était tout rouge.

— Oh, merci, monsieur !

Un peu de sueur perlait sur la lèvre supérieure de la dame, qui ajouta ces derniers mots avec des airs de conspiratrice :

— Ma fille est tout simplement folle des hommes qui ont des poils sur la poitrine.

Puis elle se radossa à son siège en gloussant.

Simon secoua lentement la tête.

— C'est la rançon de la gloire, dit Mary Ann.

— Qu'est-ce que c'est, cette histoire de poils ? ne put s'empêcher de demander Brian. Elle l'a passé aux rayons X ?

— J'ai fait un petit sujet sur Simon, et ç'a été diffusé ce matin à la télé, expliqua Mary Ann avec un rire gêné.

— Épouvantable ! grommela le lieutenant.

— Vous aviez enlevé votre chemise ? interrogea Brian.

— Eh bien...

— Juste pour un plan où il devait faire du jogging, précisa Mary Ann. Nous avions besoin d'images pour faire un plan en voix off.

— Des images pour faire un plan en voix off... répéta Brian. Logique ! Eh bien, moi, je crois qu'on a besoin de mes services dans mon rang, ajouta-t-il en s'esquivant.

Un peu plus tard, comme il s'y attendait, Mary Ann le coinça dans la cuisine.

— Bon. Alors, pourquoi es-tu dans tous tes états ?

Il fit un pas de côté pour éviter un autre serveur.

— Ce n'est pas le moment, on est en plein coup de feu.

— J'ai fait un petit sujet sur ce type, chuchota-t-elle. Pourquoi est-ce que ça te turlupine comme ça ?

— Ça ne me turlupine pas. Ça m'a... surpris, voilà tout. Tu disais qu'il ne voulait pas passer à la télé.

— J'ai réussi à le convaincre.

— Très bien. Et à en faire une star de charme par la même occasion.

— Oh, je t'en prie, Brian, fit-elle en évitant Jerry qui fonçait sur elle avec un plateau. Et alors ? Quand j'ai fait mon reportage sur le concours de sosies de Tom Selleck, tu n'en as pas fait un drame !

— Ces pauvres tocards de sosies de Tom Selleck n'habitaient pas dans la même maison que nous, siffla-t-il avec colère.

— Je n'arrive pas à concevoir que tu puisses te sentir menacé par si peu, répondit-elle, découragée.

Le ton de sa remarque, moderne et suffisant, l'exaspéra.

— Je voudrais simplement savoir pourquoi c'est ici que tu es venue fêter ton scoop.

— Brian...

— Allez... va. Nous perdons notre temps.

— Brian, écoute-moi. Je l'ai amené ici parce que je veux que vous soyez amis. Je veux que nous soyons tous les trois amis. J'ai cru que ce serait sympa de...

— O.K., O.K.

Elle lui adressa un sourire prudent, sentant que sa colère s'estompait.

— J'ai mal choisi le moment, je vois. Je suis désolée. Tu veux que j'aille à la laverie chercher ton linge ?

Il secoua la tête.

— Je serai à la maison en train de faire les valises, si tu as besoin de moi.

Elle l'embrassa sur la joue et sortit de la cuisine. Quand il retourna dans la salle trois minutes plus tard, Simon et elle étaient partis.

Ce fut Jerry qui l'accueillit à son retour dans la cuisine.

— Dis donc, il laisse de gros pourboires, l'ami de ta femme !

— C'est aussi mon ami, rétorqua Brian.

— Vraiment ? demanda Jerry sur un ton narquois.

— Oui, *vraiment,* connard.

— En tout cas... c'est commode, ajouta Jerry en hochant lentement la tête.

— Qu'est-ce que tu veux dire ?

— Écoute, mec... Je me fie à ce que je vois, moi.

— C'est-à-dire ?

— Eh bien... Ce type a une certaine ressemblance avec toi.

— Et alors ?

— Alors... rien.

Il s'éloigna en murmurant le reste de sa phrase.

— Si madame veut que les deux soient assortis, ça ne me regarde pas...

Il fut interrompu par Brian qui l'empoigna par le col, le retourna brusquement et le plaqua contre le mur.

— Attention ! l'avertit Jerry. Tu sais ce qu'a dit Perry : recommence ton cirque ici et tu es viré aussi sec.

Brian hésita, mais peu de temps.

— T'as tout à fait raison de me le rappeler, mec !

Il resserra son emprise sur le col de Jerry, le traîna dans la salle de restaurant et lui décocha un direct du droit qui l'envoya voler à travers les airs, pour finalement atterrir sur une table couverte de corbeilles à hamburgers vides. La table se renversa et Jerry s'affala sur le sol. Les clients s'écartèrent, une femme se mit à hurler, mais l'énorme dondon, elle, resta bouche bée auprès de la caisse avec son menu dédicacé. Brian marcha sur elle d'un pas décidé, lui prit le menu des mains, y signa un autographe avec son stylo-bille, le lui rendit et sortit du restaurant sans jeter un regard en arrière.

Jusqu'en haut de Russian Hill, à six ou sept rues de là, il ne ralentit pas le pas. Son cœur battait comme jamais il n'avait battu. Brian s'arrêta un instant devant *Swensen's Ice Cream* et réfléchit à ce qu'il allait faire. Il décida de poursuivre sa route à une allure normale. Si son patron avait déjà appelé, il n'en serait que plus humilié en arrivant chez lui hors d'haleine.

Quand il y parvint, dix minutes plus tard, Mary Ann était absorbée par les préparatifs de leur expédition au *Claremont.* À quatre pattes dans la salle de bains, elle passait le placard du lavabo au peigne fin pour retrouver son tube de Coppertone de l'an dernier.

— Je suis sûr qu'on peut en acheter là-bas, observa-t-il.

— Je sais, mais c'est l'indice de protection qui me convient.

— Ils en auront aussi.

Elle se leva en s'essuyant les mains.

— Tu es en avance, remarqua-t-elle.

— Ils ont eu pitié de moi, répondit-il avec un sourire trompeur. Je leur ai dit que nous voulions éviter les embouteillages.

— Parfait. Allons-y, conclut-elle en sortant de la salle de bains d'un pas léger. Tu ne vas pas me croire, mais j'ai réussi à tout caser dans une seule valise.

— Génial ! lança-t-il en se rapprochant du téléphone, prêt à décrocher.

— J'ai pris tes lunettes de soleil vertes. Je ne savais pas si...

— Ça ira parfaitement, la rassura-t-il.

— Oui, mais si tu veux les autres...

— Je veux surtout y aller, dit-il en s'emparant de la valise.

Ils ne parlèrent que très peu jusqu'au moment où la Le Car atteignit East Bay.

— Tu sais, dit Mary Ann, les yeux fixés sur la route. Je crois que Simon a été blessé par ta brusquerie, tout à l'heure.

Il hésita avant de répondre :

— Eh bien... Je m'excuserai auprès de lui.

— Tu feras ça ? interrogea-t-elle avec un regard plein d'espoir.

— Oui. Dès que nous serons rentrés.

— Parfait, mais peu importe quand. Tu sais, il t'apprécie beaucoup, Brian.

— Très bien. Je n'ai rien contre lui, moi non plus.

Elle tendit la main et lui caressa un genou.

— Tant mieux, conclut-elle.

Quelques minutes plus tard, le *Claremont* apparaissait au-dessus d'eux sur une verte colline.

— Tu ne trouves pas le bâtiment merveilleux ? s'attendrit Mary Ann. Il va avoir soixante-dix ans cette année.

— Il est un peu trop blanc...

— C'est vrai, oui. Mais on s'en fout, non ?

— Tu m'as très bien compris, dit-il avec un sourire narquois. On dirait une clinique suisse. C'est bien comme ça qu'on les appelle, les cliniques où ils font des liftings ?

— Hein ?

— Mais si, tu sais bien... À moins que ça ne soit pour les fous ?

— Non, ce n'est ni l'un ni l'autre.

— Écoute...

— Contente-toi de conduire, coupa-t-elle en regardant le paysage.

Une fois à l'hôtel, ils laissèrent la voiture au portier et se rendirent directement dans leur chambre. Vaste et lumineuse, celle-ci donnait sur les courts de tennis. Ils fumèrent un joint, passèrent leurs maillots presque sans rien dire, puis ils descendirent au jacuzzi, près de la piscine, où le soleil, l'herbe et les remous d'eau chaude qui massaient le dos de Brian bercèrent ses délicieuses rêveries. Ce qui s'était produit dans le restaurant ne lui semblait plus qu'un lointain cauchemar.

Mary Ann se plongea dans l'eau tout entière, puis elle en surgit comme une naïade et contempla le vieil hôtel.

— Rose... dit-elle finalement. Non, pêche.

Sur le coup, il ne comprit pas à quoi elle faisait allusion.

— De quoi tu parles ?

— De la couleur dont ils devraient le repeindre.

Il regarda lui aussi l'hôtel, avant de se retourner vers sa femme avec un sourire.

Du bout du pied, elle lui caressa un mollet.

— Tu sais quoi ? demanda-t-il.

— Dis toujours.

— Je n'aime personne autant que toi.

Elle laissa passer un instant avant de répondre :

— Alors pourquoi me caches-tu la vérité ?

L'expression de son visage disait tout.

— Tu as eu un coup de fil ? fit Brian.

Elle hocha la tête.

— De Perry lui-même ?

— Oui.

— Il me renvoie, c'est ça ?

— Brian... Tu lui as brisé la mâchoire, au mec. Ils auraient aussi bien pu te faire arrêter.

Il réfléchit à la question un instant sans rien trouver à répliquer.

— Il a été transporté à l'hôpital : il fallait l'opérer d'urgence.

Il secoua la tête d'un air accablé.

— C'était pour quoi, cette fois ? demanda Mary Ann.

Il n'avait pas l'intention d'ajouter la jalousie à la liste des péchés capitaux dont il était coutumier.

— Peu importe, éluda-t-il.

— Oh, bien trouvé !

— Écoute... Il a encore fait une blague vaseuse sur un client homo. Une blague sur le sida. Je ne voulais pas le frapper aussi fort. Il attendait l'occasion depuis le matin.

— Pourquoi tu ne m'as rien dit ?

— Je comptais le faire, s'excusa-t-il en haussant les épaules, mais je ne voulais pas bousiller le week-end avant même qu'il ait commencé.

Elle le regarda d'un air interrogateur.

Comme il n'était pas certain de la réponse, il reposa la question :

— Je suis viré, alors ?

— Oui.

— Désolé qu'il ait fallu que ce soit toi qui prennes pour moi.

— Il a été aimable.

Alors qu'il se dirigeait vers les vestiaires, un petit garçon et son père, tous les deux d'un roux flamboyant, passèrent dans le champ de vision de Brian. Le gamin trébucha sur son lacet et son père s'arrêta pour le renouer. Brian resta saisi par ce tableau qui symbolisait tout ce qui lui faisait défaut dans la vie.

— La Terre appelle Brian, la Terre appelle Brian !

Mary Ann essayait de le faire revenir à la réalité.

— Excuse-moi, fit-il. Qu'est-ce que tu veux que je dise ?

— Je ne veux pas que tu sois désolé. Je veux que tu me dises la vérité. Bon sang, Brian... Si on ne peut pas parler de ça entre nous, à qui d'autre peut-on se confier ?

— Tu as raison, avoua-t-il, se sentant libéré du poids de la culpabilité.

— Je ne dis pas ça que pour toi, continua-t-elle.

— Qu'est-ce que tu sous-entends ?

— Eh bien... Je suis pire que toi dans ce domaine, parfois.

— Quel domaine ?

— Tu sais bien : dire la vraie vérité. Je déguise la vérité parce que j'ai peur de... de gâcher ce qu'on a... De te perdre.

Il n'avait jamais imaginé qu'elle puisse mentir, et il fut touché par ce surprenant aveu. Elle lui exposait moins ses raisons qu'elle ne lui expliquait qu'elle comprenait les siennes. Il posa une main sur sa joue mouillée et lui sourit. Elle lui tira la langue, plongea sous l'eau et lui fit des chatouilles. La crise était passée.

Pendant le dîner, il remarqua que Mary Ann buvait un peu plus de vin que d'habitude, mais il la suivit verre après verre. Le temps que leurs framboises à la crème arrivent, ils n'étaient plus qu'un couple comme un autre, dînant aux chandelles avec un sourire bête. Son instinct lui dicta que le moment était venu d'aborder à nouveau la Grande Question.

— Je détestais ce boulot, tu le sais.

Elle se pencha et lui caressa la main.

— Je sais.

— De toute façon, j'aurais filé ma dém' tôt ou tard... Finalement, ça ne me déplaît pas que ça se soit terminé comme ça.

Elle attendit un peu avant de répondre :

— En fait, je regrette assez de ne pas y avoir assisté. Ça n'a pas eu l'air ridicule, au moins ?

Il secoua la tête.

— Héroïque, alors ?

Il fit un geste signifiant que cela se situait quelque part entre les deux et qui la fit rire.

— Maintenant, dit-il doucement, j'ai du temps à revendre...

De naturel, le sourire de Mary Ann se mit à devenir

quelque peu artificiel : elle comprenait parfaitement à quoi il faisait allusion.

— Tu m'as demandé la vérité, protesta-t-il.

Elle hocha la tête. Son sourire avait disparu.

— Pour moi, continua Brian, John Lennon était un père au foyer et il s'en est très bien sorti... Je suis sûr qu'il a passé plus de temps avec son gosse que Yoko...

— Brian...

— Je ne dis pas que tu n'aimerais pas le gosse, je veux seulement dire que tu n'aurais pas à t'en préoccuper autant que moi. Merde, les femmes ont porté ce fardeau pendant des siècles ! Il n'y a pas de raison qu'on ne puisse pas en faire autant. Tu ne crois pas que ce serait fantastique d'avoir avec nous un petit bonhomme qui serait... un peu de toi et de moi ?

Le visage fermé, elle repoussa sa chaise et laissa tomber sa serviette sur la table.

Elle le prend mal, pensa-t-il. Elle croit que j'ai tout fait pour qu'on me vire afin de la mettre au pied du mur.

— Et les framboises ? s'inquiéta-t-il.

— Je n'ai pas faim, répliqua-t-elle.

— Tu fais la gueule ?

— Non, répondit-elle en jetant un regard aux tables voisines. J'ai organisé ce petit week-end pour te dire quelque chose, mais je ne veux pas le faire ici.

— O.K. Très bien, fit-il en se levant. Et l'addition ?

— Elle est sur la note.

Ils retournèrent dans leur chambre où elle se brossa les dents et dit à Brian de mettre une veste.

— Où allons-nous ? demanda-t-il.

— Tu le verras bien.

Après avoir enfilé l'une des vieilles chemises Pendleton de Brian, elle sortit une grosse clé en cuivre et ouvrit la porte qui menait à l'étage supérieur, dans la tour. Ils le traversèrent et prirent un second escalier dans l'obscurité.

Elle ouvrit toute grande la porte d'un geste théâtral. Ils étaient arrivés sur une minuscule terrasse panoramique, tout en haut. Devant eux s'étendait la baie, de San Mateo à Marin : dix mille constellations électriques qui scintillaient sous un ciel violet.

Elle s'approcha de la balustrade.

— Ici, ce sera très bien, affirma-t-elle.

— Pour quoi ? interrogea-t-il en la rejoignant.

— Maintenant, ne dis rien. Tu gâcherais le rituel.

Elle déboutonna la poche de sa chemise, en tira un étui plastique de la taille d'un poudrier et l'éleva au-dessus d'elle comme un talisman sacré.

— Adieu, petites pilules, maman n'a plus besoin de vous ! déclara-t-elle.

En un éclair, il comprit ce qu'elle faisait.

— Bon sang, mais... !

— Chut !

Ses bras décrivirent un arc gracieux et lâchèrent les pilules dans la nuit comme de minuscules vaisseaux spatiaux en route pour les étoiles. Elle mit ses mains en porte-voix et cria :

— Tu as vu ça, Dieu le père ? *Tu piges ?*

Il rejeta la tête en arrière et éclata d'un rire rugissant.

— Tu es content ? demanda-t-elle.

Elle souriait dans le vent, encore plus belle qu'il ne l'avait jamais vue.

— Je ne suis pas digne de toi, murmura-t-il.

— Je pense bien, ironisa-t-elle en lui prenant la main pour l'entraîner vers l'escalier. Allez, viens, andouille. On va faire des bébés !

Miss Treves entre en scène

Michael avait toujours considéré le décalage horaire comme un mal qui n'affecte que les nantis, mais ses trois premiers jours à Londres le firent changer d'avis à jamais. Comme par magie, il se réveillait toujours à trois heures — parfois le matin, parfois l'après-midi. Et il était d'autant plus désorienté qu'il logeait dans une maison où le téléphone ne sonnait jamais et où résonnaient en permanence des tambours.

Ces mystérieux tambours sévissaient en fait dans la maison d'à côté, mais leurs roulements s'entendaient clairement à l'aube, au moment où, invariablement, Michael trempait dans dix centimètres d'eau tiédasse et regardait la lumière du jour qui se levait, grise et glacée, au-delà des murs bleus de sa salle de bains.

Cherchant à se créer des habitudes, il établit bientôt ses premiers contacts avec la laverie, la poste et le marché le plus proche. Puis il partit en reconnaissance dans d'autres parties de la ville pour retrouver les lieux familiers du passé : un pub bruyant de Wapping qui s'appelait le *Prospect of Whitby* (plus fréquenté par les touristes qu'il ne s'en souvenait), Carnaby Street (naguère *mod* et plutôt bohème, désormais punk mais tout aussi bohème), puis l'attirant cimetière de Highgate où Karl Marx était enterré (toujours aussi attirant, toujours aussi enterré)...

Quand le ciel s'éclaircit au cours du troisième après-midi, il fit une promenade, traversant Kensington et Chelsea jusqu'à la Tamise, puis il suivit les quais jusqu'à l'obélisque de Cléopâtre. À seize ans, il avait été fasciné par ce monument égyptien car les lions de bronze qui le flanquaient à son pied, vus sous un certain angle, lui avaient fortement évoqué des bites en érection. Mais il faut dire que presque tout lui évoquait la chose quand il avait seize ans.

Il quitta les bords de la Tamise, vaguement désenchanté par ses retrouvailles avec les lions, et il reprit l'enfilade des rues en direction de Trafalgar Square. Pour des raisons d'économie (c'est du moins ainsi qu'il s'en justifia), il déjeuna au McDonald's situé près de la station de métro de Charing Cross, avec l'impression démoralisante d'être furieusement américain, jusqu'au moment où il entendit le client qui le précédait commander un milk-shake avec un accent cockney prononcé.

En arrivant à Piccadilly Circus, il acheta *Gay News* et le feuilleta au milieu d'un groupe d'Allemands à sacs à dos agglutinés devant la statue d'Éros. À en croire les petites annonces, les pédés anglais semblaient être en quête de « tontons » (types plus âgés) à « stachemou » (moustache), « hors ghetto » (qui ne sortent pas dans les bars) et qui sont « non efféminés » (c'est-à-dire, plutôt mecs). Un nombre étonnamment élevé d'annonceurs se donnaient la peine de préciser qu'ils possédaient logement et voiture. Côté femmes, un groupe de lesbiennes du nord de Londres organisait le samedi un jogging-pèlerinage jusqu'à la tombe de Radclyffe Hall et elles attendaient toutes avec impatience la soirée disco Sappho du *Goat in Boots* de Drummond Street.

Revenu à Colville Crescent, il fit de son mieux pour atténuer la puanteur de la salle de bains en imbibant la moquette élimée d'un désodorisant concentré trouvé chez Boots. D'une certaine façon, les drogueries-pharmacies anglaises étaient l'institution la plus déroutante de toutes. Les boîtes et flacons ressemblaient énormément à ceux qu'on trouvait aux États-Unis, mais les noms avaient été changés pour protéger Dieu sait quoi. L'Anadine était-elle la même chose que l'Anacine ? Après tout, Michael se demanda si cela avait la moindre importance. Il secoua vigoureusement le petit flacon en verre fumé et versa par terre quelques gouttes du liquide âcre dont l'odeur se mélangea immédiatement à celle de pisse, sans l'éliminer pour autant. Il jeta la bouteille dans la poubelle et regagna la chambre où il fouilla sa valise à la recherche du dernier des joints que Mme Madrigal lui avait roulés.

Il était sur le point de l'allumer lorsqu'un bruit incongru le fit sursauter. Il lui fallut un moment pour se rendre compte qu'il venait d'entendre pour la première fois la sonnette de la rue. Après avoir posé son joint, il sortit dans le couloir obscur et alla ouvrir.

La femme qui se tenait devant lui devait avoir la soixantaine. Ses cheveux gris en bandeaux encadraient joliment son visage. Elle portait un tailleur en tweed brun et de solides chaussures marron. Quant à ce dont avait parlé Simon, le « plus évident » de sa lettre, c'était désormais parfaitement clair : la visiteuse arrivait à peine à la hauteur de la poignée de la porte.

— Bonjour, dit-elle d'une petite voix de souris. J'ai vu de la lumière et je pensais qu'il valait mieux que je sonne.

— Vous devez être Miss Treves ? s'enquit-il pour la rassurer. Je suis un ami de Simon. Michael Tolliver.

— Ah... Un Américain.

Il émit un petit rire nerveux.

— C'est cela. Nous avons échangé nos appartements, en fait. Simon est à San Francisco.

— Je suis au courant de tous les méfaits de ce garnement, grommela-t-elle.

— Il va bien, poursuivit Michael. Il m'a prié de vous transmettre toute son affection et de vous informer qu'il serait rentré avant Pâques.

À cette nouvelle, elle grommela de plus belle.

— Il est tout bonnement... tombé amoureux de San Francisco, ajouta-t-il.

— C'est ce qu'il vous a dit, n'est-ce pas ?

— Eh bien... Plus ou moins. Écoutez, je ne suis pas encore très bien installé, mais... Puis-je vous offrir une tasse de café ? Du thé plutôt ?

Elle réfléchit un moment, puis elle hocha la tête.

— Volontiers.

— Parfait, se réjouit Michael.

Elle le précéda jusqu'à l'appartement et s'assit dans le salon, sur un fauteuil bas tapissé de chintz, les pieds se balançant au-dessus du sol. Les proportions légèrement réduites du fauteuil laissaient penser qu'il avait été mis là exprès pour elle. D'une pichenette, Miss Treves élimina une poussière de l'accoudoir, puis reposa modestement ses mains sur ses genoux.

— Simon ne m'avait pas prévenue de votre arrivée, dit-elle. Sinon, j'aurais fait un peu de ménage.

— Ça ne fait rien, l'assura Michael. Ça ira.

Elle jeta un regard dégoûté sur la pièce.

— Non, pas du tout ! protesta-t-elle. C'est tout à fait répugnant.

Elle secoua lentement la tête.

— Quand je pense qu'il est censé être un *gentleman.*

Son indignation le réconforta. Il avait commencé à se demander s'il n'était pas trop chichiteux dans ses appréciations sur l'état de l'appartement, bref, trop américain dans ses exigences. Le point de vue d'un tiers, et pas de n'importe quel tiers, renforça les soupçons qu'il avait eus sur le manque de soin de Simon.

Il se rappela qu'il avait proposé du thé à Miss Treves.

— Oh, excusez-moi, s'écria-t-il, je vais aller mettre la bouilloire en route !

Il fit volte-face pour se précipiter dans la cuisine mais, trop nerveux, se prit lamentablement les pieds dans un lampadaire qui avait perdu son abat-jour — sans chuter, heureusement — et il dut rétablir l'équilibre de la lampe branlante tandis que Miss Treves gloussait d'un rire étouffé derrière lui.

— Je comprends que vous soyez surpris, mon garçon, mais vous finirez bien par vous y habituer.

Il était clair qu'elle voulait parler de sa taille. Il se tourna et lui sourit pour lui laisser entendre qu'il était californien et qu'en matière de différences il en connaissait un rayon.

— Comment voulez-vous votre thé ? demanda-t-il.

— Avec du lait, s'il vous plaît... Et un petit peu de sucre.

— J'ai peur de ne pas en avoir.

— Mais si, vous en avez. Sur l'étagère, à droite, au-dessus de la cuisinière. C'est moi qui le range là pour les fois où je passe.

Il remplit la bouilloire d'eau chaude, sortit une bouteille de lait du réfrigérateur et trouva la cachette du sucre personnel de Miss Treves. C'était du sucre de canne en poudre, en fait, exactement comme chez son premier partenaire, le maçon « non efféminé » et « hors ghetto » qu'il avait rencontré à Hampstead Heath.

Quand il revint dans le salon, il tendit sa tasse à Miss Treves et s'assit sur le bout du canapé le plus proche d'elle.

— Alors... commença-t-il. Simon m'a raconté qu'il s'était enfui le jour où vous l'aviez emmené au British Museum ?

C'était un début de conversation un peu faiblard, mais il n'avait rien trouvé d'autre.

Elle prit prudemment une gorgée de son thé.

— Il a là une mauvaise habitude, vous ne trouvez pas ?

Réflexion faite, il partit du principe que c'était une question purement rhétorique.

— Il m'a dit que vous étiez une nourrice merveilleuse, déclara-t-il pour changer de sujet.

Essayant de dissimuler son plaisir, elle baissa les yeux sur sa tasse.

— Nous faisions une sacrée paire tous les deux, reconnut-elle.

Il faillit gaffer en disant : « J'imagine », mais se retint à temps et finalement posa une autre question :

— Maintenant, vous êtes manucure, n'est-ce pas ?

— C'est cela même.

— Vous avez un salon ?

— Non. Juste des clients fidèles. Je me déplace chez eux. C'est une clientèle très huppée, fit-elle en jetant un regard réprobateur aux mains de Michael. Cela ne vous ferait pas de mal, mon garçon.

Gêné, il referma ses mains aux ongles rongés.

— C'est une manie que j'ai sérieusement contractée, je crois. Mais j'ai eu des ongles impeccables pendant trente ans !

Il décida de changer encore de sujet.

— Comment avez-vous su que Simon avait... quitté le yacht royal ?

— Oh... soupira-t-elle, le *Mirror* en a fait ses choux gras ! Vous ne l'avez pas lu ? C'était il y a quelques jours à peine.

— Non, en fait, je ne l'ai pas vu.

— À les lire, on se demanderait presque s'il n'a pas giflé la reine !

Il s'efforça de prendre un air dégagé.

— Ce n'était pas du tout ça ! expliqua-t-il. Il en a juste eu assez de la marine.

— Foutaises ! protesta Miss Treves.

— Pardon ?

— La marine, c'est une chose, mon garçon. Le *Britannia,* c'en est une autre. Quelle honte !

— Comment la presse l'a-t-elle appris ?

— À cause d'une bonne femme de la télé, grogna-t-elle, indignée.

— À San Francisco ?

— Oui. Ensuite, le *Mirror* a fait sa petite enquête et a trouvé son adresse ici. Elle a même été publiée, figurez-vous.

Il réfléchit un instant avant de demander :

— Est-ce que la famille de Simon est... fâchée de cela ?

— Tout ce qui reste de sa famille, vous l'avez en face de vous !

— Oh...

— Ses parents ont connu une fin tragique lorsque Simon était encore à Cambridge : un affreux accident.

Il exprima sa compréhension en inclinant la tête.

— Vous ne lui en parlerez pas, n'est-ce pas ? Le pauvre garçon a mis huit ans à s'en remettre, ajouta Miss Treves.

— Qui n'en aurait pas souffert à sa place ? dit Michael.

Il avait déjà commencé à pardonner Simon pour l'état de son appartement et à considérer cette nourrice miniature comme une sorte d'ange gardien en tweed.

— Il a tellement de chance de vous avoir, termina-t-il.

Sa petite bouche rose s'ouvrit en un sourire qui n'était que pour lui.

— Simon a toujours des amis tellement charmants !

Les deux font la paire

Comme Mary Ann était partie pour la péninsule tourner un sujet social sur la fermeture d'une usine automobile, Brian chercha une manière concrète de fêter sa première journée d'homme au foyer au 28 Barbary Lane : il tailla le lierre qui envahissait les fenêtres. Il récura la crasse des joints de la douche, puis il rangea éponges et produits de ménage sous l'évier de la cuisine. Il rampa ensuite sous le lit pour y traquer les moutons avec la frénésie obsessionnelle d'un furet cherchant à débusquer un lapin dans son terrier.

Maintenant, c'était pour trois qu'il travaillait. Chaque coup de chiffon, chaque jet de lustrant à meubles et l'élimination de la moindre crotte de souris dans un placard étaient un pas de plus sur la route de la Maison du Bonheur où bientôt vivrait sainement le Gosse.

Le Gosse...

Il se répétait constamment le mot, rendant un hommage superstitieux à la petite graine qui désormais, alors même qu'il nettoyait les toilettes, était peut-être déjà en train de germer dans le ventre de Mary Ann. Le Gosse était tout, à présent. Ce petit bonhomme en cours de fabrication avait transformé sa vie du tout au tout et lui avait donné une raison de se lever le matin — ce qui en soi tenait déjà du miracle !

Il fit une pause et se prépara un sandwich au jambon qu'il mangea dans la petite maison sur le toit tandis qu'un pétrolier à la coque tout oxydée glissait silencieusement sur l'immense étendue bleue de la baie. Au-dessus des tuiles ocres de l'Institut d'Art, un cerf-volant aux couleurs de l'arc-en-ciel dansait dans le vent.

Il y avait tellement de choses à montrer à un enfant, dans cette ville, tellement de merveilles, de merveilles auxquelles on s'habitue trop, à redécouvrir avec les yeux du Gosse : le moulin de Golden Gate Park, Chinatown dans la brume, les vagues qui viennent s'écraser sur la petite digue de Fort Point... Il se voyait déjà en train de folâtrer sur une plage imaginaire, lui et ce petit morceau de lui-même, ce radieux et adorable petit garçon — ou petite fille — qui l'appellerait... qui l'appellerait comment, au fait ?

Père ?

Papa ?

P'pa ?

« Papa », en fait, ce n'était pas mal, avec un petit côté Vieux Continent : un peu classique, mais plein d'affection. Était-ce *trop* classique ? Il n'avait pas envie d'avoir des allures de tyran, attention ! Le Gosse était un être humain, après tout. Il ne fallait pas qu'il le craigne. Les châtiments corporels, par exemple, étaient hors de question.

Il retourna à l'appartement, posa son assiette, puis décida de récurer l'évier. Tout en s'acquittant de sa tâche, il entendait Mme Madrigal vaquer dans la cour à son jardinage, en fredonnant une version décousue de *I Concentrate on You.*

Il mourait d'impatience de lui parler du Gosse, mais il réprima cette envie. Pour des raisons qu'il ne parvenait pas à s'expliquer, il lui semblait que la nouvelle devait être annoncée par Mary Ann. D'ailleurs, ce serait plus amusant d'attendre que tout le monde finisse par s'apercevoir que Mary Ann était enceinte.

Comme il voulait montrer à Simon qu'il n'y avait pas de malentendu entre eux, il descendit inviter le lieutenant à faire un jogging avec lui. Un peu plus tard, alors qu'en souffrant et soufflant ils passaient sur les quais déserts en direction de Bay Bridge, l'endurance de Simon l'impressionna. Et il lui en fit part.

— On se vaut, dans ce domaine, lui répondit aimablement Simon.

— Pas seulement ! continua Brian. Tu as l'air de bien te débrouiller aussi dans d'autres domaines.

— Qu'est-ce que tu veux dire ?

Brian lança un regard oblique et complice au lieutenant.

— J'ai vu une fille sortir de chez toi, ce matin.

— Ah.

— Exactement : « Ah. » Tu l'as trouvée où ?

— Oh... Dans une petite boîte, le *Balboa Café.* Tu connais ?

— Connaissais. Mais je n'y suis pas allé depuis longtemps... C'était un bon coup ?

— Mmm. Jusqu'à un certain point.

Brian éclata de rire.

Simon insista :

— Je te jure, mon capitaine.

— Ah bon, d'accord.

— Elle était trop... euh... Disons : enthousiaste !

— Je vois : elle t'a mordu les tétons !

Le lieutenant était manifestement stupéfait.

— Eh bien, oui... avoua-t-il. C'est très exactement ce qu'elle a fait.

— C'est son grand truc.

— Dois-je en déduire que tu la connais ?

— Connaissais. Avant mon mariage. Jennifer Rabinowitz !... C'est bien ça ?

— C'est ça.

— Une figure connue.

— Tu veux dire qu'elle a pas mal d'heures de vol ?

— Le chef d'escadron des requins qui hantent le Triangle des Bermudes ! s'exclama Brian.

— Pardon ?

— C'est comme ça qu'on appelle le quartier où se trouve le *Balboa Café,* expliqua-t-il.

— Je vois.

Comme le lieutenant semblait un peu décontenancé, Brian essaya de le remettre à l'aise.

— Je veux dire... Ce n'est pas que ce soit la pute du coin, mais le fait est qu'elle couche vraiment avec tout le monde.

— C'est agréable à entendre, fit Simon.

Une fois arrivés au pont, ils s'arrêtèrent de courir, puis ils rentrèrent en marchant à partir de l'Embarcadero et allèrent s'asseoir au pied de la fontaine Villaincourt. Un petit Vietnamien s'approcha alors d'eux avec un filet à provisions, mais Brian lui fit signe de déguerpir.

— Qu'est-ce qu'il voulait ? demanda Simon.

— Nous vendre de l'ail.

— Pourquoi de l'ail ?

— Je te le demande... Ils l'achètent à Gilroy et ils le vendent dans les rues du coin. Des dizaines de petits chenapans insaisissables comme celui-là. Ils traquent les Blancs qui ont envahi le pays de leurs parents : poétique, non ?

— Assez, je dois dire.

— Tu es un excellent partenaire pour le jogging, déclara Brian.

— Merci, mon capitaine ! Toi aussi.

Brian lui assena une tape affectueuse sur la cuisse. Il aimait beaucoup ce type, et pas seulement parce qu'ils avaient maintenant en commun de s'être envoyé Jennifer Rabinowitz.

— T'es en train de parler à un grand con qui nage dans le bonheur, commença-t-il bientôt.

— Ah bon... Pourquoi ça ?

— Eh bien... Mary Ann et moi, nous avons décidé d'avoir un enfant. Ou plus exactement : elle n'est pas encore enceinte, mais on y travaille.

— Super ! commenta Simon.

— Ouais... Tu peux le dire !

Ils restèrent après cela silencieux, bercés par le chant des jets d'eau dans la fontaine.

— Ne lui dis pas que je t'en ai parlé... finit par ajouter Brian.

— Non, c'est d'accord.

— Je ne veux pas qu'elle ait l'impression que... Enfin, tu vois, quoi... Que je lui mets la pression.

— Je comprends.

— Ce qui doit arriver arrivera... tu me suis.

— Mmm.

— Au fait, tu es plus que le bienvenu si tu veux monter pour regarder la télé quand tu en as envie.

— Merci. Euh... Où ça ?

— En haut de l'escalier, sur le toit. Tout le monde y va, ici.

— Génial !

— Je te montrerai comment marche le magnétoscope. Ça devrait te plaire, j'ai *Debbie va à Dallas.*

— Pardon ?

— Un porno.

— Ah.

— Je ne l'ai pas beaucoup regardé... Seulement quand Mary Ann est en reportage. Dans ce cas-là, je mets la cassette et... je me bats avec le petit fauve, quoi !

Un sourire éclaira le visage de Simon.

— Tu fais sauter la cervelle du petit chauve, c'est ça ?

— Tu piges vite, toi.

Mirage

Lors de son premier séjour à Londres, Michael avait logé chez une famille de Hampstead qui recevait des étudiants dans le cadre d'un programme de voyages sponsorisé par l'*English-Speaking Union.* M. et Mme Mainwaring n'avaient pas d'enfants, et ils l'avaient couvé comme s'il avait été le leur, l'emmenant voir des pièces dans le West End, le gavant de biscuits à l'heure du thé et remplissant le placard de la cuisine de pots de sa confiture d'oranges préférée, celle aux gros morceaux de zeste.

Comme il avait perdu contact avec eux depuis des années, il ne pouvait s'empêcher de se demander s'ils occupaient toujours leur petite maison douillette de New End Square, en passant leur temps devant leur chère télé. Même s'ils n'y étaient plus, l'idée de revoir Hampstead lui faisait extrêmement envie. Rien ne peut se comparer à l'expérience du pèlerinage sur des lieux jadis tant aimés !

Il quitta la maison de Simon et se fraya un chemin parmi les étals du marché de Portobello Road pour parvenir enfin aux rues commerçantes et populaires de Notting Hill Gate. Le logo familier du métro londonien, avec son cercle traversé d'une barre, le conduisit jusqu'à la station où il glissa des pièces dans un distributeur pour prendre un billet en direction d'Hampstead.

Un escalator l'emporta encore plus bas jusqu'au quai de la *Central Line,* où il prit un train pour l'Est à destination de Tottenham Court Road. Une fois arrivé, il descendit et se dirigea vers le quai de la *Northern Line* en s'efforçant de prendre l'air de quelqu'un qui sait où il va. Et à cette étape de son trajet, un signal resté jusque-là en sommeil dans son cerveau l'avertit que c'était une rame en direction d'Edgware — et non pas de High Barnet — qui le conduirait à Hampstead.

Il aimait toutes les caractéristiques de ce métro : surtout la simplicité classique du plan, avec ses formes géométriques et ses lignes de couleurs différentes, mais aussi les courants d'air chaud chargés de mauvaises odeurs qui s'engouffraient dans les couloirs aux murs couverts de céramique crème et verte, et les passagers — depuis les skinheads jusqu'aux cadres en costume gris à fines rayures — qui arboraient tous le même masque de dédain digne et ennuyé.

Quand le train s'arrêta à Hampstead, Michael se dirigea vers un couloir annoncé par le panneau WAY OUT, formulation plus noble que le EXIT du métro américain. Comme Hampstead était le quartier le plus élevé de Londres, l'ascenseur était le plus profond : c'était un monstre Arts déco pourvu d'une voix enregistrée si atone et vieille (« Écartez-vous de la grille », disait-elle) que l'on aurait pu croire que c'était celle du fantôme des lieux. Il se souvint de cette voix, en fait, et une impression de *déjà vu* l'envahit.

Heureusement, les rues du quartier n'avaient pas changé, malgré l'apparition incongrue de fast-foods et de salons de coiffure aux devantures mauves et chromées qui se proclamaient « visagistes ». Il descendit d'un pas alerte la grand-rue bordée d'immeubles de brique rouge et arriva au pied de l'hôpital gigantesque qui dominait la rue menant à New End Square.

Quatre minutes plus tard, il hésitait devant la maison qui avait été la sienne pendant trois mois en 67. Les rideaux de chintz qui protégeaient autrefois le salon des regards des passants avaient été remplacés par des stores en toile. Fallait-il en déduire que c'était un gay qui habitait là désormais ? Les Mainwaring s'étaient-ils retirés dans quelque terne pavillon de banlieue ? Michael se demanda s'il supporterait le changement, quel qu'il fût, et s'il voulait vraiment savoir.

Non, il ne voulait pas savoir. Il retourna sur la grand-rue et déjeuna dans l'un des nouveaux fast-foods, un endroit décoré de cactus en néon et d'anciennes enseignes Coca-Cola. Autrefois, se souvint-il, les Wimpy étaient les seuls, à Londres, à servir des hamburgers, mais ils ne valaient pas celui-là.

Il engloutit plusieurs verres de cidre dans un vieux pub de Flask Walk, puis il réfléchit aux options qui s'offraient à lui pour occuper son après-midi. Il pouvait pousser jusqu'à la *Spaniards Inn* et avaler un ou deux verres de plus. Il pouvait chercher la maison où avait vécu l'inventeur des cartes de Noël, ou bien encore aller se promener jusqu'au *Vale of Health* et s'asseoir près de l'étang où Shelley faisait voguer ses bateaux en papier.

Il pouvait aussi, après tout, se mettre à la recherche de son premier amant, le maçon.

Un dernier verre de cidre décida pour lui. L'inventeur de la carte de Noël et Shelley ne pouvaient rivaliser avec le souvenir d'un scrotum soyeux. Il sortit du pub d'un pas vif et prit la colline en direction de *Jack Straw's Castle* et de Spaniards Road.

Le parc d'Hampstead Heath était tel qu'il se le rappelait : de vastes étendues de pelouse bordées de sombres bosquets de forêt urbaine. Il semblait y avoir plus de papiers gras, désormais (ce qui était le cas dans tout Londres en général), mais les cent hectares exhalaient encore leur mystère. Lors de sa dernière visite, le bruit du vent dans les épais feuillages lui avait rappelé l'une des étranges scènes de *Blow-Up,* un film qui évoquait Londres à Michael autant que *Vertigo* lui rappelait San Francisco.

Il entra dans le parc par Spaniards Road et suivit un large chemin qui s'enfonçait entre les arbres. Quand il atteignit les étangs, il s'arrêta un peu et regarda trois enfants chahuter au bord de l'eau. Leur mère, une rousse en pantalon de toile et pull vert, lui adressa un sourire las comme pour le remercier de l'hommage qu'il avait rendu à sa progéniture. Il lui rendit son sourire et fit ricocher une pierre sur l'eau pour le plaisir d'épater les gosses.

C'était là, se souvint-il, qu'une route partait vers le sud, conduisant au bout du parc et à la rue où habitait jadis le maçon. *La rue où il habitait!* Il éclata de rire en constatant qu'il venait d'adapter l'air célèbre de *My Fair Lady...* qu'il se mit à fredonner.

La rue s'appelait South End Road. Il s'en souvenait, parce qu'elle croisait Keats Grove, rue où avait habité le poète, et parce que Keats avait été l'un des sujets de leur conversation après l'amour, avec Paul McCartney, les motos et la paix dans le monde.

Il retrouva sans difficulté la maison ; sur les vitraux édouardiens de l'imposte, il reconnut même les rossignols. Ne réfléchissons pas à ce que nous faisons, se dit-il. Oubliant toute prudence, il sonna à la porte de l'appartement du rez-de-chaussée. Mais ce fut un vieux monsieur en cardigan qui vint ouvrir.

— Je sais que ma requête vous semblera un peu bizarre, annonça Michael, mais un ami à moi habitait ici il y a longtemps et je me demandais s'il était toujours là.

Le vieux monsieur le considéra un instant en plissant les yeux.

— Comment s'appelle-t-il ?

— Eh bien... C'est là que ça va vous paraître le plus bizarre, mais je ne m'en souviens plus. Il était maçon... C'était un grand type costaud. Il doit avoir la cinquantaine, aujourd'hui.

Michael se mordit presque les lèvres pour ne pas ajouter : *Et tiens, maintenant que j'y pense, il avait les couilles drôlement soyeuses !*

L'occupant des lieux secoua pensivement la tête.

— C'était il y a combien de temps ?

— Seize ans. En 67.

L'homme partit d'un rire rauque.

— Il doit avoir déménagé depuis des lustres ! Ma femme et moi, on est là depuis plus longtemps que tous les autres locataires, mais ça fait seulement huit ans... Seize ans ! Pas étonnant que vous ayez oublié son nom !

Michael le remercia et s'en alla, acceptant que sa quête se fût révélée vaine. Peu importait. Qu'est-ce qu'il aurait dit à son initiateur, s'il l'avait retrouvé, de toute façon ? *Vous ne me reconnaissez pas, mais merci quand même d'avoir été le premier ?*

Le soleil était très chaud, maintenant, et des nuages cotonneux filaient dans le ciel. Il retraversa l'immensité du parc et se dirigea vers l'éminence boisée que les gens du coin appelaient la Tombe de Boadicée. Personne ne croyait vraiment que cette reine antique était ensevelie sous le tumulus, mais le nom n'en continuait pas moins d'exister. Michael était venu là un jour, à minuit, après avoir lu dans le *Times* que l'Ordre des Bardes, Ovates et Druides s'y rassemblait pour son rituel de la fin juin. Le mystère s'était dissipé comme un ectoplasme quand il avait vu de ses propres yeux que les « druides » en question étaient des employés de bureau recouverts de draps blancs et des grands-mères portant des lunettes papillon.

Tandis que cet autre pan du passé s'évanouissait à son tour, il s'assit dans l'herbe et se tourna vers le soleil. À cinquante mètres en contrebas, une grosse berline noire traversa lentement le parc et s'arrêta. Et il en sortit une femme aux cheveux blonds, au chemisier blanc et à la jupe grise tombant à mi-mollets, dont la silhouette se détacha nettement sur le vert du paysage. Elle regarda partout autour d'elle, cherchant à l'évidence quelqu'un.

Il l'observa avec distraction un moment, puis il bondit sur ses pieds, tandis que des images contradictoires lui venaient à l'esprit.

— Mona ! hurla-t-il.

La femme tourna vivement la tête en direction de la voix.

— *Mona !* répéta Michael. C'est moi, Mouse !

La femme s'immobilisa, puis, tournant les talons, remonta dans la berline qui disparut rapidement sous les frondaisons.

Off the record

Le déluge de publicité qui submergea Simon après la diffusion de l'émission fut tel que Mary Ann se demanda si ce n'était pas trop pour lui. Il donnait l'impression d'être parfaitement équilibré, mais c'était un drôle d'oiseau à bien des égards et elle ne savait jamais ce qui se passait au juste dans sa tête. Enfin, la dernière chose qu'elle eût souhaitée, c'était de s'aliéner sa sympathie.

Le week-end venu, elle attendit le bon moment

(Brian était parti à la laverie) et invita le lieutenant à l'accompagner faire ses courses à North Beach. Une demi-heure plus tard, tout ce qu'elle avait rapporté en fait, c'était un bocal de champignons au vinaigre de chez Molinari.

— C'est ça, tes courses de la semaine ? demanda Simon tandis qu'ils remontaient Columbus en direction de Washington Square.

Elle éclata de rire et opta pour la franchise.

— J'avais simplement besoin d'un prétexte pour sortir. Je me sens... à l'étroit, ces derniers temps.

— Veux-tu qu'on aille se promener quelque part ? demanda-t-il.

— J'en serais ravie.

— Où ça ? C'est vous qui êtes du coin, chère madame !

Elle sourit : elle adorait qu'il l'appelle madame.

— Je sais exactement où, dit-elle.

Elle l'emmena par Union Street jusqu'en haut de Telegraph Hill, puis ils redescendirent Montgomery jusqu'au carrefour où commence Filbert Steps.

— L'appartement situé tout en haut de cet immeuble, expliqua-t-elle, c'est celui qu'habitait Lauren Bacall dans *Les Passagers de la nuit.*

Il tordit son cou musclé mais aristocratique.

— Vraiment ?

— Celui où Bogart subit une opération de chirurgie esthétique qui transforme son visage en celui de Bogie. Tu te souviens ?

— Bien sûr.

— C'est là aussi qu'habitait ma copine DeDe.

— Ah. Je la connais ?

— Oui... Tu sais : celle qui s'est enfuie du Guyana.

— Je vois.

Elle le précéda sur l'escalier de bois jusqu'à mi-chemin, puis elle épousseta une marche et s'y assit.

— C'est un peu comme Barbary Lane, observa-t-il en se joignant à elle.

— Oui. Il y a des endroits comme ça partout dans la ville. On considère ces escaliers comme des rues à part entière.

— Le jardin est magnifique.

— Ce n'est pas la ville qui l'a réalisé, précisa Mary Ann, c'est une vieille dame extraordinaire. Avant, c'était une décharge, ici. La dame en question a été autrefois cascadeuse à Hollywood, puis elle est venue s'installer dans le coin et elle s'est mise à planter ce que tu vois autour de nous. Tout le monde appelle l'endroit le Jardin de Grace. Elle est morte juste avant Noël. Ses cendres reposent sous la statue qui s'élève là-bas.

— Tu es une véritable mine d'anecdotes locales, dit-il avec un sourire amusé.

— J'ai fait un sujet sur elle.

— Ah, je vois.

Il la taquinait avec subtilité.

— Tu fais des sujets sur tous les gens que tu connais ?

Elle hésita, se demandant à nouveau quels avaient pu être ses mobiles quand il avait accepté l'interview.

— Ça n'a pas été trop désagréable pour toi ? demanda-t-elle finalement.

— Pas du tout, répondit-il.

Le sourire de Simon lui sembla en cet instant assez sincère.

— En tout cas, j'espère que non.

— Je suis un peu étonné qu'il y ait eu une telle réaction. Mais je n'ai pas trouvé ça déplaisant.

— Tant mieux.

— Du moment que tu ne révèles pas aux autres journalistes où l'on peut me dénicher.

— Ne t'inquiète pas, le rassura-t-elle. Je te veux pour moi toute seule.

Il sourit de nouveau et attira une branche à lui si bien qu'une énorme fleur vint lui toucher le bout du nez.

— Elles ne sentent rien, se crut-elle obligée de préciser.

Il lâcha alors la branche, et la fleur, du coup, se trouva catapultée dans les hauteurs.

— On les appelle « œufs au plat », ajouta-t-elle, parce qu'elles ressemblent à des...

— Oh non, ne me dis rien ! Laisse-moi deviner, s'il te plaît.

Elle éclata de rire.

— Une boule de bowling ? proposa-t-il. Non... Une miche de pain, peut-être ?

— Arrête de te moquer de moi, fit-elle en lui pinçant le genou.

Un silence suivit, au cours duquel Mary Ann se sentit soudain gênée d'avoir ainsi une main posée sur le genou de Simon, et elle l'enleva.

— Qui habite ces petites maisons ? demanda Simon.

Elle fut contente de pouvoir se réfugier dans son rôle de guide touristique.

— Eh bien... Ce sont des cabanes de squatters.

— Vraiment ? Je croyais que c'était quelque chose de particulier aux Anglais.

— Oh, non, répondit-elle, tu rigoles ! Pendant la ruée vers l'or...

Il l'interrompit avec un petit rire cassant.

— Nous sommes à une tout autre époque, je crois. Je voulais parler de... Enfin, de maintenant !

Complètement déroutée, elle finit par retrouver ses esprits.

— Vous... Vous avez des squatters, de nos jours ?

— Oui. Dans Londres, il y en a partout.

— Tu veux dire... Des gens qui prennent possession de terrains ?

— De maisons, en fait. Et d'appartements. Les hippies ont commencé à l'époque où la ville laissait les HLM tomber en ruine. Ils s'y sont installés, les ont un peu retapées... puis se les sont appropriées.

— Eh bien, après tout, observa-t-elle, ça me paraît assez normal.

— Mmm... Sauf quand on est le type qui est parti en vacances et qui retrouve au retour sa maison remplie de Pakistanais... ou de je ne sais qui d'autre.

— C'est déjà arrivé ?

— Oh, oui !

— Ils ont emménagé comme ça ? Ils ont gardé les meubles et le reste ?

— Oui. Pour les expulser, il faut prouver qu'ils sont entrés par effraction, et parfois c'est sacrément difficile. Ça peut prendre des mois de démarches interminables avant qu'on puisse les flanquer dehors. C'est problématique, tu peux me croire.

— J'imagine...

— Il y en a dans mon immeuble, ajouta-t-il. Ils ont pris possession de l'appartement vide qui se trouve au-dessus du mien.

— Et tu ne les as pas vus faire ?

— Non. J'étais parti accompagner la lune de miel princière, à l'époque.

— Ils sont comment ?

— Charles et Diana ?

— Mais non, dit-elle en souriant, les squatters !

— Oh... Un type entre deux âges et son fils. Le père boit trop. Ils sont aborigènes. Métissés, en fait.

Elle eut une vague vision de sauvages vêtus de pagnes qui dansaient en rond avec des os dans le nez, mais elle délaissa le sujet pour lui en préférer un autre, nettement plus fascinant à ses yeux.

— O.K. Et maintenant, tu peux peut-être me raconter la lune de miel princière.

Le sourire qu'il lui adressa avait quelque chose de diplomatique.

— Je croyais que nous avions déjà épuisé le sujet lors de l'interview.

— Les aspects officiels seulement, dit-elle. À présent, je veux les détails croustillants.

Il attira de nouveau la fleur à portée de ses narines.
— C'est *off the record*?
— Cela va sans dire.
— Désolé, même *off the record*, il n'y a pas de détails croustillants !
— Arrête...
— Je travaillais dans les transmissions radio. J'ai très peu vu les jeunes mariés.
— Elle est jolie ?
— Très.
— Belle ?
— Tu brûles...
— Elle te reconnaîtrait, si elle te voyait dans la rue ?
— Je pense que oui. Je suis sorti avec elle, une fois.
— Tu... Tu es *sorti* avec elle ? En amoureux ?
— Je l'ai accompagnée à un concert de David Bowie. Sa colocataire connaissait l'un de mes amis, et nous y sommes allés tous les quatre. C'était il y a des années... Je veux dire : quand elle n'était qu'une jeune lady presque comme les autres.
— Tu t'es retrouvé presque en tête à tête avec Lady Di ! gloussa-t-elle.
— Pour l'instant, dit-il avec un sourire amusé, je n'ai pas obtenu de médaille pour ça.
— Elle était vraiment vierge quand il l'a épousée ?
Il haussa les épaules :
— Pour autant que je sache ! Je ne suis pas allé voir.
— Tu as essayé ? demanda-t-elle en le regardant droit dans les yeux.
— Tu ne lâches pas facilement prise, toi, hein ? dit-il avec agacement.
— Eh bien, ce n'est pas que ce soit important, mais ce sont des choses qui arrivent. Les temps ont changé. Tout le monde fait ce qu'il veut de nos jours...
— ... Mais la discrétion, ajouta-t-il avec un petit sourire, reste le dernier rempart que la galanterie puisse opposer à la curiosité.

Elle fit son possible pour ne pas montrer à quel point elle était soulagée : il avait passé le test haut la main. C'est avec un sourire penaud qu'elle avoua sa défaite.

— On flirte, dit-elle, mais on ne le crie pas sur les toits, hein ?

— Exactement. Ce n'en est que meilleur.

Le chahut qui l'empêcha de répondre fut si soudain et si aigu qu'il lui fallut un moment avant de se rendre compte de ce que c'était.

— Dis donc !... murmura Simon en se tordant une fois de plus le cou pour regarder en l'air.

— Ce sont des perroquets, expliqua-t-elle. Ils sont sauvages.

— Et surprenants ! Je ne savais pas du tout qu'il y en avait par ici.

— Ce n'est pas le cas, à vrai dire. Au départ, certains d'entre eux étaient en cage. Les autres sont leurs descendants. Ils se sont multipliés, disons.

— C'est une jolie histoire, apprécia-t-il en se tournant vers elle en souriant.

— Oui. N'est-ce pas ?

Cuir anglais

Cinq heures après son hallucination dans le parc, Michael se languissait dans les quelques centimètres d'eau de sa baignoire de Colville Crescent. Il finit par trancher : ça n'avait été qu'un rêve, le même que dans la Vallée de la Mort, où Mona avait fait semblant de ne pas l'entendre crier sur la dune. Il s'était seulement passé *quelque chose* sur la colline du parc, il y avait seulement eu quelque chose dans l'attitude de la femme blonde, ou dans l'angle sous lequel il l'avait vue, qui avait ressuscité en lui ce rêve et lui avait fait perdre le sens des réalités.

La femme ne ressemblait pas à Mona, c'était parfaitement clair ! Pas avec ces cheveux-là. Ni ces vêtements. Ni même encore avec cette manière de se tenir. Tout au plus avait-il quelques bonnes raisons de réagir à son aura — un concept si ridiculement californien qu'il s'était d'ailleurs juré de ne jamais en parler à personne. Cette élégante inconnue avait simplement touché un point sensible, lequel avait ravivé une certaine angoisse : celle qui concernait une amitié aujourd'hui évanouie.

Il s'engagea à ne plus y penser. Il enfila son Levi's noir, sa chemise blanche, et se dirigea vers Notting Hill Gate, où il dîna d'un curry dans un restaurant indien exigu. Ensuite, il encaissa un traveller's check au bureau de change voisin et rentra. Mais au moment où il arrivait, Miss Treves et son petit mètre vingt traversaient la cour.

— Ah, vous voilà, mon garçon...

— Bonjour !

C'était agréable, cette impression qu'il avait déjà d'être en présence d'une amie.

— J'étais sorti dîner.

— Vous vous amusez bien, alors ?

— Bien sûr, mentit-il.

— Tant mieux. J'ai apporté mon matériel. Ça ne vous ennuie pas ?

Et elle leva une sacoche en cuir vert de la forme et de la taille d'une boîte à chaussures.

D'abord, il ne comprit pas.

— Euh... Pardon ? Qu'est-ce qui devrait m'ennuyer, comme vous dites ?

De sa main libre, petite et potelée, qui rappelait celle d'un bébé, elle attrapa une des mains de Michael.

— Ces horreurs, là ! Il faut faire quelque chose, déclara-t-elle. Nous ne pouvons pas laisser un ami de Simon dans cet état.

Elle pencha la tête de côté et lui fit un clin d'œil.

— Ça ne prendra pas longtemps.

Il était à la fois gêné et touché.

— C'est très gentil, mais...

— Je ne vous ferai pas payer. Vous n'aviez rien prévu, pour ce soir, si ?

Il avait vaguement caressé l'idée d'aller explorer les bars gay d'Earl's Court, mais cela ne semblait guère une réponse appropriée en de pareilles circonstances.

— Non, répondit-il. Pas dans l'immédiat.

— Parfait, roucoula-t-elle en faisant gracieusement volte-face pour regagner la maison.

Une fois entrée, elle ouvrit sa valise de manucure et en sortit une coupure de journal, très abîmée à force d'avoir été maintes fois pliée et dépliée.

— Ce sont des sottises, mais j'ai pensé que vous aimeriez y jeter un coup d'œil.

La coupure titrait : LE RADIO DU YACHT ROYAL PREND DU BON TEMPS À FRISCO.

Michael parcourut rapidement l'article et découvrit que Simon y était décrit comme un hédoniste impénitent, un aristocrate capricieux qui dilapidait la fortune familiale à force d'excès sans nom sur le Nouveau Continent, dans « la capitale de l'extravagance ».

Il rendit l'article à Miss Treves avec un sourire qui en disait long.

— Vous avez raison. Ce ne sont que des sottises.

Elle émit un petit grognement tout en versant un liquide savonneux dans une coupelle. Michael pensa immédiatement aux publicités télé pour Palmolive et se demanda s'il allait lui aussi se retrouver à faire trempette dans du détergent. Toute cette scène lui sembla brusquement extraordinairement drôle.

Elle prit l'une de ses mains et la plaça dans la coupelle.

— Avez-vous remarqué qu'ils ont publié son adresse personnelle ? demanda-t-elle.

— Mmm...

Et comme elle se taisait :

— C'est ennuyeux ? s'enquit-il.

— Je ne sais pas, mon garçon ! avoua-t-elle en fouillant dans sa mallette. Vous n'avez vu personne rôder par ici ?

Mais où donc voulait-elle en venir ?

— Euh... non. Je n'ai rien remarqué. Vous voulez dire... des cambrioleurs, quelque chose de ce genre ?

— Non. Juste... des gens qui surveilleraient la maison.

— Non. Ça ne me dit rien.

— Tant mieux.

— Écoutez, dites-moi si...

— Laissez tomber. Je suis sûre que ça n'a aucune importance.

Elle commençait à travailler sur ses cuticules.

— Quand ils publient votre adresse, c'est plutôt inquiétant, c'est tout.

La séance de manucure se révéla une expérience agréable et rassurante. Rester assis passivement tandis que cette petite dame au ton acerbe lui réparait ses ongles donnait à Michael l'impression qu'on faisait enfin attention à lui pour la première fois depuis son arrivée à Londres.

— Vous faites ça depuis longtemps ? finit-il par demander.

— Oh... une quinzaine d'années, je crois.

— Et avant, vous étiez la nourrice de Simon ?

— Mmm.

— Vous étiez nourrice dans d'autres familles aussi ?

— Non, uniquement chez les Bardill. Voyons l'autre main, mon garçon.

Il obéit tandis qu'elle changeait le tabouret de place.

— Vous aviez toujours voulu être nourrice ? interrogea-t-il.

À peine eut-il prononcé ces mots qu'il se demanda

si ce n'était pas une question trop personnelle. Depuis le début, il ne cessait de réfléchir aux opportunités de carrière qui pouvaient s'offrir à une naine.

— Oh, non ! répondit-elle. Je voulais être dans le spectacle. *J'étais* dans le spectacle.

— Vous voulez dire dans...

Le mot « cirque » lui était venu tout naturellement à l'esprit, mais il préféra ne pas finir sa phrase.

— Dans une revue musicale, poursuivit-elle. Un spectacle itinérant. Avec chansons et danses, lectures de Shakespeare... Enfin, ce genre de choses, quoi !

— Comme c'est intéressant ! s'exclama-t-il, fasciné à l'idée d'une Lady Macbeth miniature. Pourquoi avez-vous abandonné ?

— Mais c'est *eux* qui nous ont abandonnés, mon garçon ! soupira-t-elle. Le public. La télé nous a tués. J'ai toujours dit la chose suivante : qui irait payer pour voir Bunny Benbow alors qu'on peut regarder un feuilleton à la télé pour rien du tout ?

— Bunny Benbow...

— Oui ! La revue Bunny Benbow, se mit-elle à piailler comme l'une des petites souris de *Cendrillon* de Disney. C'est bête, n'est-ce pas ? Mais c'est tellement démodé, aujourd'hui.

— J'aurais bien aimé voir ça, dit-il.

— Les parents de Simon m'ont engagée quand ça s'est terminé. Leurs amis trouvaient que c'était idiot, mais la vérité, c'est qu'ils m'ont sauvé la vie. Je leur dois énormément. *Énormément.*

Elle termina de limer un ongle cassé et leva les yeux vers lui.

— Et vous, mon garçon ? Comment gagnez-vous votre vie ?

— Je suis pépiniériste, lui apprit-il.

— Comme c'est charmant !

Elle cessa un instant son travail et regarda dans le vide, les yeux embués.

— La maman de Simon, ajouta-t-elle, avait un splendide jardin, dans leur propriété du Sussex. Des clématites, des roses trémières, et de délicieuses petites violettes...

Il remarqua que sa lèvre inférieure tremblait légèrement.

— Mais le temps passe, soupira-t-elle enfin.

— Je suis bien d'accord.

Quand elle fut partie, une demi-heure plus tard, Michael était de bien meilleure humeur. Il décida donc de revenir à son projet initial et d'aller voir les bars gay d'Earl's Court. Le métro le déposa à une rue du *Harpoon Louie's,* un bar sans fenêtres au-dessus duquel flottait un drapeau britannique, sans doute pour montrer que les homos sont aussi capables d'être patriotes.

L'intérieur était laborieusement américain : bois blond, abat-jour industriels, lithos de Warhol... Peut-être en hommage à l'occupante actuelle de Kensington Palace, la sono diffusait *Diana* de Paul Anka. La serveuse, en fait, était une réplique un peu grassouillette de la princesse de Galles.

Quant à la clientèle, pas d'équivoque : elle était composée de clones — débardeurs, Adidas —, et tout autant portée à l'originalité que la foule qui se presse le samedi soir sur Castro Street. Les mecs fumaient davantage, apparemment, et leurs dents comme leurs corps étaient moins beaux ; de plus, l'ambiance disco, genre *Fièvre du samedi soir,* battait encore son plein à Earl's Court.

Il trouva une place sur une banquette qui longeait le mur et sirota un gin-tonic tout en observant les lieux pendant un moment. Puis il lut un article sur Sylvester dans un journal du nom de *Capital Gay* et alla faire un tour dans le jardin situé à l'arrière, où la fumée et le bruit étaient moins pénibles.

Il s'en alla au moment où une horloge sonnait dix

heures quelque part et descendit la rue bordée de hauts immeubles de brique jusqu'à un pub gay du nom de *Coleherne.* À l'évidence, l'endroit était plutôt fréquenté par les mecs cuir. Il commanda un autre gin-tonic, puis lut le tableau d'affichage, lequel annonçait des réunions de gays conservateurs... et une brocante organisée au profit des lesbiennes sourdes.

Quand il revint au bar en forme de fer à cheval, le jeune type qui lui faisait face lui adressa un grand sourire : un gamin, en fait, qui n'avait pas plus de dix-huit ou dix-neuf ans, avec la peau aussi brune que la bière qu'il buvait. C'étaient ses cheveux, le plus extraordinaire : des boucles sombres auxquelles la lumière attachait des reflets dorés, et qui flottaient au-dessus de ses yeux espiègles comme... Bon, comme la mousse de sa bière. Avec cette chemise blanche, ce nœud papillon et ce pull sans manches en jacquard, la vision avait quelque chose de reposant au milieu de tous ces types en cuir noir.

Michael lui rendit son sourire. Son admirateur baisa le bout de son index et le pointa dans sa direction. Michael leva son verre en guise de remerciement. Le gamin sauta de son tabouret et se fraya un chemin dans la foule maussade pour retrouver Michael.

— J'aime bien ton jeans, dit-il. Je l'ai remarqué quand tu es entré.

Michael baissa les yeux vers son Levi's noir.

— Merci, dit-il. Je l'étrenne.

— Tu l'as teint toi-même ?

— Non... Non, il est vendu comme ça.

— C'est vrai ?

L'inflexion de sa voix était typiquement britannique et Michael fut ravi de constater qu'un garçon possédant cet accent pouvait avoir cette allure-là. De près, ses lèvres pleines et son nez épaté semblaient plutôt africains, mais sa curieuse chevelure (plus claire que la mienne, remarqua-t-il) demeurait un mystère.

— Mon jeans à moi est d'un modèle ordinaire.

Le gamin planta fièrement ses pouces dans les poches de son 501. Le jeans détonnait avec le reste de sa tenue, mais il lui allait très bien quand même.

— On n'en voit pas beaucoup, remarqua Michael. Pas ici, en tout cas.

— Vingt livres sur Fulham Road. Et ça les vaut, si tu veux que je te dise. Tu aimes bien cet endroit ?

— Ça me va.

C'est tout ce que Michael parvint à articuler. L'endroit ressemblait à un pub, c'était déjà ça. Malgré tout, il y avait quelque chose de presque poignant chez ces Anglais au teint terreux qui jouaient les motards supermecs. Ils appartenaient simplement à l'espèce qui ne convient pas pour le rôle. Il se rappela un touriste anglais qui n'était jamais sorti de la back-room du *Boot Camp* mais qui n'y avait jamais prononcé un mot. Le pauvre garçon avait découvert la dure réalité d'une incompatibilité rédhibitoire : avec un accent d'Oxford, des phrases du type « Bouffe-moi ma grosse bite juteuse ! » ou « Ouais, tu la sens, hein ? » auraient sonné très bizarrement.

Le jeune mec jeta sur le bar un regard circulaire et méprisant.

— Quand je les vois, ils me font penser à de la pâtée pour chiens.

— Je ne sais pas si j'ai bien compris, dit Michael en riant, mais ça n'a pas l'air d'un compliment.

— Ça n'en est pas un, mon vieux. De quel coin des États-Unis tu viens ?

— San Francisco.

— Putain !... fit le jeune en se balançant sur ses talons. Des mecs à tous les coins de rue, hein ?

— On peut le dire, acquiesça Michael en souriant.

— La reine est venue chez vous, n'est-ce pas ?

— Exact.

— Il pleuvait comme jamais...

— Et ça continue, d'après ce que je sais. Pareil qu'ici.

Continuant à se balancer sur ses talons, le gamin, les yeux mi-clos, lui décocha un sourire.

— Euh... Si on s'y mettait, hein, qu'est-ce que t'en dis ?

— Pardon ?

— Si on s'y mettait, mec !

Il claqua ses deux paumes l'une contre l'autre pour expliquer de quoi, il parlait.

— Oh, fit Michael en riant, pour signifier qu'il comprenait.

— Alors ?

— Merci, mais... Je ne suis pas trop branché là-dessus en ce moment.

— Tu n'es pas porté sur les nègres, hein ?

Ses manières directes semblaient faites exprès pour désarçonner Michael.

— Au contraire. Il y a simplement que depuis un certain temps je n'ai pas très envie de sexe.

— Dans ce cas, qu'est-ce que tu fous là ?

— Bonne question... Je viens voir les curiosités locales, sans doute.

— O.K. Eh bien... j'en suis une. Je m'appelle Wilfred, dit le jeune mec en lui tendant la main avec un large sourire, un sourire qui illumina son visage comme un soleil levant.

Michael serra la main tendue.

— Et moi Michael.

Ils restèrent au bar encore une demi-heure côte à côte, sans parler beaucoup plus. Pendant ce temps, les hordes de « cuirettes » piaillaient et fumaient de plus en plus tandis que la pluie glougloutait dans les caniveaux devant la porte.

— Tu n'as pas apporté de pébroc, mec ?

— Non. Comme un con.

— Moi si. Allez, viens.

Comme cela avait tout l'air d'une autre invitation à « s'y mettre », Michael trouva une excuse facile :

— Écoute... Merci, mais je crois que je vais rester encore un petit peu.

— Tu le regretteras, dit Wilfred.

— Pourquoi ?

— Regarde l'heure qu'il est, mec.

Une pendule publicitaire pour les chips Dane Crisps indiquait onze heures moins le quart.

— C'est presque la fermeture, expliqua Wilfred. Et ça, la fermeture, c'est pas joli à voir, tu peux me croire.

— Qu'est-ce que tu veux dire ?

— Les lumières se rallument. Et si maintenant tu trouves tous ces mecs pas terribles, attends de voir ce que ce sera à onze heures : pire, mon vieux, bien pire !

Michael éclata de rire.

— C'est un moyen efficace pour faire évacuer les lieux !

— Ils savent ce qu'ils font, reprit le jeune mec en souriant. Dans les pubs hétéros, à la fermeture, ils *baissent* les lumières. Qui a dit que nous étions pareils, hein ? Allez... C'est quoi, ta prochaine étape ?

— Le métro. Je rentre chez moi.

— Super. Moi aussi.

Il prit le bras de Michael et le mena à travers la foule jusqu'à la sortie, où il ouvrit son parapluie.

— Allez, viens... Mets-toi à l'abri là-dessous, mec.

Comme Michael avait presque une tête de plus que son compagnon, il tint le parapluie tandis que Wilfred assumait le rôle du guide, sa main droite fermement et insolemment enfoncée dans la poche arrière du 501 de Michael.

— La princesse Diana habitait un peu plus bas... quand elle était encore prof. Tu imagines ? Passer devant tous ces mecs en cuir quand elle allait à son école !... Hé ! Fais attention au camion !

Michael sauta en arrière sur le trottoir alors qu'un énorme poids lourd le frôlait de justesse.

Le blanc des yeux de Wilfred étincela sous le parapluie comme des phares de voiture.

— Encore une comme ça, mon vieux, et on est mariés pour l'éternité.

Il désigna les lettres blanches peintes sur la chaussée.

— Tu vois ? Ça dit : REGARDEZ À DROITE. On l'a écrit rien que pour les connards d'Américains.

Continuant d'un pas vif, ils dépassèrent un kiosque à journaux, puis un restaurant exotique criard — arabe, peut-être — au menu peint sur du contre-plaqué et où tournait dans la vitrine illuminée par des spots roses un énorme cône de viande mystérieuse.

— Ce sont les drogués qui mangent là, signala Wilfred. Ça ferme tard. Tu as un copain, aux États-Unis ?

— Bonjour, l'association d'idées ! plaisanta Michael.

— Eh ?

— Rien... Non, je n'ai pas de copain.

— Pourquoi ?

Il hésita :

— J'en avais un. Mais ça n'a pas marché...

— Le sujet est délicat, hein ?

— Oui.

— Je crois que j'aimerais bien avoir un copain, mais je ne pense pas que c'est au *Coleherne* que j'en dénicherai un.

— Je vois ce que tu veux dire, concéda Michael.

Le trajet dans le métro s'écoula dans un quasi-silence, comme semblait l'exiger la tradition, le genou bleu de Wilfred collé contre le genou noir de Michael.

— C'est laquelle, ta station ? demanda Michael.

— La même que la tienne. Notting Hill Gate.

Michael en resta comme deux ronds de flan.

— Tu ne m'as jamais remarqué, hein ? dit le gamin avec un sourire narquois.

— Excuse-moi, je ne vois pas ce que...

— J'habite au-dessus de chez toi, gros malin. Au bon vieux 44 Colville Crescent.

Et la preuve lui en fut donnée lorsqu'ils atteignirent le seuil de la maison et que Wilfred sortit une clé qui ouvrait la porte d'entrée. Il alluma la minuterie avant de se tourner vers Michael et de déposer un petit baiser sur ses lèvres.

— Bonne nuit, mec. Merci de m'avoir raccompagné.

Et il s'élança dans l'escalier jusqu'au premier.

Anguille sous roche

Comme bien des choses chez elle, le cycle menstruel de Mary Ann était tellement régulier que Mussolini lui-même, si elle en avait été la contemporaine, aurait pu le prendre en exemple pour la ponctualité de ses trains. Que le monde fût chamboulé et que le chaos régnât partout, elle pouvait toujours compter sur l'arrivée exacte de ses règles — ou, comme les avait un jour qualifiées sa mère, des « larmes sanglantes de son utérus déçu ».

Ce jour-là, celui-ci avait été particulièrement déçu, ce qui signifiait que les douleurs coutumières devaient suivre deux semaines plus tard, à un jour près. Selon le docteur de l'hôpital St Sebastian (et plusieurs auteurs qu'elle avait vus dans des émissions de télé), ces douleurs — *mittelschmerz* était assez bêtement le terme médical approprié — indiquaient de manière sûre l'ovulation.

Alors que certaines femmes ne montraient, en dehors de règles douloureuses, aucun signe extérieur de période d'ovulation, Mary Ann disposait, elle, de toutes les preuves dont elle avait besoin. Feuilletant son tout nouvel agenda du *New Yorker,* elle compta quatorze jours et se retrouva tout bonnement le dimanche 3 avril : le jour de Pâques.

Des œufs de Pâques, oui... C'est mignon, à bien y réfléchir.

Brian n'avait jamais posé de question concernant ses *mittelschmerz* à Mary Ann. Il était romantique et, par conséquent, faisait confiance à ce qu'il appelait « la bonne vieille méthode immémoriale pour faire les enfants ». L'expression l'avait toujours ennuyée (pourquoi les hommes étaient-ils donc si fiers de leur peu d'intérêt pour ce qui se passait en elles, les femmes ?), mais elle fut brusquement reconnaissante de ce respect aveugle des traditions.

Elle referma son agenda et s'enfonça dans le fauteuil en pensant soudainement à Mouse. Elle lui avait un jour expliqué ce qu'était le *mittelschmerz,* en partie pour justifier ses brusques accès de mauvaise humeur, et ce n'était pas tombé dans l'oreille d'un sourd : « Oh, oh. Tu n'aurais pas ton "Ethel Mertz", par hasard ? » plaisantait-il lorsqu'il la trouvait grognon, faisant ainsi un jeu de mots sur le nom de la voisine dans *I Love Lucy.* Mary Ann gloussa à cette pensée et lui adressa mentalement un petit baiser transatlantique.

Le reste de sa journée fut affreux. Elle se disputa pendant une heure entière avec un réalisateur qui tenait absolument à sonoriser son reportage sur la naissance de l'ourson avec une musiquette guimauve à la Disney. Après quoi, ce fut Bambi Kanetaka qui mit tout en œuvre pour qu'on passe à la trappe le reportage de Mary Ann sur la flore sauvage d'Alcatraz et qu'on en diffuse à la place un bien plus corsé (en fait assez sordide !) sur les échangistes de Marin.

Quand elle rentra à huit heures, Brian s'affairait aux fourneaux avec son tablier en jeans autour des hanches, tandis qu'un ragoût qui mijotait sur la cuisinière embaumait l'appartement. Il lui donna un petit baiser sur la joue et remarqua presque aussitôt son air las :

— Encore une journée de merde, c'est ça ?

— Oui.

— Bon... J'ai de quoi te remonter le moral : nous avons reçu une invitation surprenante, aujourd'hui !

— Ah ? De la part de qui ?

— Theresa Cross. Elle veut que nous passions le week-end chez elle, pour nager dans sa piscine, reprendre contact et... qui sait ? Peut-être même faire un bébé ou deux !

Voyant l'expression de Mary Ann changer, il ajouta :

— Hé ! Je sais que ce n'est pas le genre de personne que tu préfères, mais... Eh bien, c'est plutôt sympathique comme geste, non ?

— Oui, concéda-t-elle. Ça l'est.

Il eut l'air soulagé.

— Il y aura aussi des amis rockers à elle, précisa-t-il.

— Génial. Elle veut qu'on vienne quand ?

— Le week-end de Pâques.

Bien sûr... songea Mary Ann.

— Qu'est-ce qu'il y a ? demanda-t-il.

— Je suis désolée... Je ne peux pas, c'est tout.

— Pourquoi ?

— J'ai... J'aurai du boulot à ce moment-là.

— Quel genre ? demanda-t-il, prenant la mouche. C'est un jour férié, nom d'un chien !

— C'est vrai, mais... J'ai promis de tourner un sujet sur Pâques pour la télé... Le service religieux matinal du mont Davidson, un truc comme ça. Je sais que c'est chiant, Brian, j'avais l'intention de t'en parler plus tôt. Le père Paddy assurera la cérémonie et ils ont voulu que... Enfin, tu vois : que je couvre l'événement pour *Bay Window.*

— Bon sang, murmura-t-il d'un air dépité.

— Excuse-moi, répondit-elle doucement.

— *Pâques,* nom de Dieu ! Mais où va-t-on s'ils se mettent à te demander de...

— Brian, c'est mon travail !...

— Je sais que c'est ton travail, coupa-t-il, le front sillonné de rides qui n'annonçaient rien de bon. Commence pas à me gonfler avec ton refrain sur ton boulot. Je sais quelles sont tes responsabilités... Et tes priorités, pour le coup ! Je suis déçu, voilà ! Juste déçu. J'ai le droit d'être déçu, non ?

— Bien sûr.

— Oublie la proposition, continua-t-il plus calmement. Je dirai à Theresa qu'on ne peut pas venir.

Mary Ann fut vexée de l'entendre appeler la veuve rock'n'roll par son prénom comme s'ils étaient de vieux amis, mais comment voulait-elle qu'il l'appelle, après tout ? Sûrement pas *Mme Cross.*

— Ne lui raconte pas ça, fit-elle. Toi, tu devrais y aller, je crois.

Il la regarda sans comprendre.

— Je *veux* que tu y ailles, ajouta-t-elle.

— Je ne sais pas si...

— Écoute, il faut bien qu'un de nous soit là pour savoir à quoi ça ressemble. Qui d'autre a-t-elle invité, d'ailleurs ?

— Eh bien... Grace Slick, pour commencer.

— Waouh !

Il la regarda d'un air soupçonneux.

— Depuis quand est-ce que tu t'enthousiasmes en entendant le nom de Grace Slick ? s'enquit-il.

— Ne sois pas injuste. J'aime bien Grace Slick.

— Tu n'aimes pas du tout Grace Slick, tu ne l'as jamais aimée ! Arrête ton cinéma.

— Bon, d'accord... J'ai dit « Waouh ! » pour te faire plaisir. Oh, bon sang, Brian, va à ta fête rock ! C'est exactement ce que tu aimes. Tu t'en mordras les doigts toute ta vie si tu n'y vas pas.

— Je voulais y aller avec quelqu'un qui aurait pu en rire comme moi, murmura-t-il en lui faisant ses yeux de cocker.

Ce fut l'un de ces moments de forte complicité qui compensaient les compromis les plus pénibles qu'exige le mariage. Elle fourra son nez au creux de son cou.

— On en rira ensemble après, dit-elle. C'est promis.

Il recula pour ajouter une petite précision au programme :

— Elle a invité les gens à dormir chez elle. Je veux dire... Enfin... c'est une invitation pour le week-end entier.

Elle haussa les épaules. Dans ces circonstances, elle ne pouvait guère se permettre de se vexer.

— Parfait. Génial...

— Tu es sincère ? demanda-t-il gravement. Ou bien tu joues les femmes modernes ?

— Si elle te touche... commença-t-elle en se mordillant l'index pensivement, je lui arrache les nichons !

Il éclata de rire, puis il claqua des doigts.

— J'ai une super-idée.

— Laquelle ? demanda-t-elle, inquiète.

— Je vais emmener Simon.

— Je ne suis pas sûre qu'elle soit si bonne que ça, ton idée.

Elle pesa plusieurs arguments mais n'en retint qu'un.

— C'est pas très correct.

— Pourquoi ?

— Eh bien... C'est nous qu'elle a invités ! Elle ne connaît même pas Simon et... Eh bien, comme c'est notre première vraie invitation, ce serait peut-être pousser un peu que d'amener un parfait inconnu... Surtout le genre fan.

— C'est pour ça que je pensais que ce serait parfait ! s'écria-t-il. Il est fou d'elle et... il n'a personne.

— Oui, mais elle est probablement déjà entourée de beaucoup trop de bonshommes dans le même cas.

— Hétéros ?

— Peu importe. Ne fais pas ton entremetteur, Brian.

— Pourquoi ?

— Parce que... Elle est trop rapace : voilà pourquoi !

— Je crois que Simon sait se défendre, répondit-il en riant.

— N'en sois pas si sûr, dit-elle en le serrant de nouveau dans ses bras. Tu m'as déjà pardonnée ?

— J'y travaille.

— Bon. Il y a autre chose sur quoi nous pouvons aussi travailler.

— Quoi donc ?

— Tu me réserves le dimanche des Rameaux, tu veux bien ?

— Pour quelle raison ?

— Parce que tous les signes sont positifs... Question bébé.

Il lui fallut un moment pour comprendre.

— Tu veux dire... « Ethel Mertz » ?

— Oui, « Ethel Mertz » ! s'esclaffa Mary Ann.

— Super ! s'exclama-t-il en la serrant contre lui de plus belle. Ça compense vraiment le petit contretemps pascal ! Parfait !

— Tant mieux. C'est tout ce que j'espérais.

Le gamin du dessus

Michael se sentait remarquablement en forme lorsqu'il se réveilla à neuf heures moins le quart dans la chambre qui dégageait une odeur de renfermé. Une bétonneuse gargouillait et grinçait dans la rue, quelqu'un faisait frire des harengs fumés dans la maison d'en face... mais rien ne put ébranler la sourde conviction qu'il avait en lui : la vie commençait enfin à lui sourire.

Il alluma la radio posée à son chevet. Un speaker l'informa qu'un instituteur avait été retrouvé crucifié dans les landes quelque part en Écosse et, dans un tout autre ordre d'idées, que les bookmakers londoniens avaient ouvert les paris : la capitale allait-elle enfin connaître quarante-huit heures d'affilée sans averses ?... Il ne se soucia d'aucune de ces nouvelles.

Il était en train de se préparer du thé lorsque quelqu'un frappa à sa porte. Sa quasi-certitude de l'identité du visiteur lui donna l'agréable illusion d'être chez lui.

— Salut, mec.

— Salut, dit Michael en souriant.

Wilfred portait le même accoutrement que la veille, mais avec des variantes : un nœud papillon (noir), un pull sans manches (turquoise), une chemise blanche et un 501. Apparemment, il avait un look bien à lui. Michael ne put s'empêcher de se souvenir du feutre qu'il avait arboré partout lors de sa première visite à Londres quand il avait seize ans.

— Du thé ? demanda-t-il.

— Super.

— Assieds-toi, je l'apporte.

Il retourna à la cuisine et revint avec le thé sur un plateau.

— Pourquoi ne m'as-tu pas dit que tu habitais ici ?

Wilfred haussa les épaules, vautré sur le sofa, une jambe passée par-dessus l'accoudoir.

— Je ne voulais pas passer pour le négro du dessus. Je voulais qu'on se rencontre dans...

Il chercha en vain le terme voulu.

— Au sein de notre tribu ? souffla Michael.

— Voilà, c'est ça.

— Tu m'as suivi jusqu'au *Coleherne* ?

Wilfred prit une expression légèrement indignée.

— Tu n'es pas le seul pédé à aller au *Cloneherne,* tu sais !

Michael releva le jeu de mots.

— Le « Clone-*herne* »...

— J'aime bien l'appeler comme ça, fit Wilfred avec un clin d'œil.

— Pas mal trouvé.

— Dis-moi, qu'est-ce que tu fous chez notre cher lord ? demanda-t-il avec ironie.

— On a échangé nos apparts. Je lui ai laissé le mien à San Francisco pour un mois et... Simon n'est pas lord ?

— Il en a le comportement, en tout cas, c'est clair. Il est pédé, non ?

— Pas du tout.

— J'aurais cru...

Wilfred parcourut la pièce d'un regard dédaigneux.

— Pas vraiment briqué, le palace.

Sur ce point, au moins, il y avait un consensus.

— Je crois qu'il s'en tape, observa Michael.

— C'est qui, la nabote ?

— La quoi ?

— La nabote. La lilliputienne qui vient de temps en temps.

— Sa nourrice. Et fais attention aux termes que tu utilises, s'il te plaît.

— Sa *nourrice,* O.K. Eh bien, eh bien...

— Tu le veux comment, ton thé ?

— *Wilfred !* tonna une voix de stentor dans l'escalier.

— Mon Dieu ! murmura Michael. Qui c'est ?

Le jeune mec avait déjà bondi à la porte.

— Écoute !... s'écria-t-il. Retrouve-moi à la station de métro dans une demi-heure. J'ai un truc spécial à te montrer.

— Wilfred, qui c'était ?

— Oh... mon vieux, c'est tout.

— Ton vieux ?

— Au métro, dans une demi-heure. Pigé ? Tu seras pas déçu.

Et il fila en lui envoyant un baiser.

Michael écouta ses pas monter dans l'escalier, puis il se servit une tasse de thé. C'était un tout nouveau problème. Si Wilfred habitait avec ses parents, la dernière chose que souhaitait Michael, c'était de passer pour l'étranger dépravé qui avait « débauché » leur fils. Le cher papa n'avait pas exactement l'air d'un monsieur à qui on peut facilement faire entendre raison.

Oh, et puis merde ! se dit-il. Sa nouvelle vie avait enfin commencé à prendre son essor et c'était trop agréable pour tourner les talons. Comme l'avait un jour expliqué Mme Madrigal : « Il n'y a qu'un imbécile qui refuse de suivre lorsqu'il voit le dieu Pan danser à travers la forêt. »

Du coup, il engloutit son toast à la confiture d'oranges, fit son lit et descendit d'un pas léger sur Portobello Road jusqu'à la station de métro.

Wilfred l'attendait près des distributeurs de billets.

— Je n'étais pas sûr que tu sois là, avoua Michael.

— Pourquoi ?

— Eh bien... Ton père avait l'air dans un état !

— Il commence jamais à boire avant midi.

— Je voulais dire qu'il avait l'air furieux ! Pas ivre.

— Ah !... De toute façon, il est toujours furieux.

— Pour quelles raisons ?

Wilfred réfléchit un instant.

— Maggie Thatcher et moi, la plupart du temps. Mais pas forcément dans cet ordre, remarque.

Il imita la voix de basse tonitruante de son père :

— « Qu'est-ce qu'on en a à foutre de cette Thatcher quand on a pas un rond ? Hein ? *Hein ?* » C'est sa tirade préférée.

— Tu le fais très bien, dit Michael en s'esclaffant.

— Je l'entends assez comme ça.

Suivant l'exemple de Wilfred, Michael prit un billet pour Wimbledon, dernière station de la *District Line*, au sud de la Tamise. Alors qu'ils attendaient sur le quai, il lui demanda :

— Est-ce que ça a quelque chose à voir avec le tennis ?

— Ferme-la, Colombo. Tu verras bien.

— Bien, monsieur.

Wilfred lui lança un sourire espiègle. L'espace d'un éclair, il rappela à Michael son ami Ned dans la Vallée de la Mort, quand il tenait en haleine ses copains en leur promettant des merveilles, celles-là mêmes qui les attendaient toujours derrière la prochaine colline.

— Ton père est au courant, pour toi ? demanda Michael tandis que la rame s'annonçait avec fracas.

Wilfred hocha la tête.

— Comment il l'a su ?

— Je me suis fait piquer par les flics dans une tasse, mec. Ça a dû lui mettre la puce à l'oreille.

— Dans une tasse ?

— Oui, tu sais bien... une *tasse.*

Michael ne comprenait toujours pas.

— Une tasse, répéta Wilfred. Des chiottes publiques, quoi !

Une femme, en face d'eux, prit une expression outragée.

— Oh, fit Michael d'un ton penaud.

— C'est comme ça que je me suis fait virer de l'école... Et du boulot, par la même occasion. Je bossais là-bas, à Wimbledon.

— Nous, on appelle ça un « tea-room », remarqua Michael.

— Quoi ? Là où je bossais ? C'était une saloperie de fish'n'chips !

— Non, ta *tasse,* là. Chez nous, on appelle ça « tea-room ».

La discussion commençait à ressembler à la version gay d'un sitcom, et la femme qui leur faisait face était la dernière à trouver la chose intéressante.

— Je crois qu'on ferait mieux de laisser tomber le sujet, Wilfred.

— Comme tu veux, mec, répondit Wilfred en haussant les épaules.

Quand ils arrivèrent à Wimbledon, Wilfred acheta un Cadbury, en cassa un morceau et le tendit à Michael.

— On a un petit bout de chemin à faire à pied, maintenant. Espérons que le vieux Dingo est toujours là.

— Espérons... répéta Michael avec un sourire forcé.

Il n'avait pas l'intention de lui demander ce qu'il avait voulu dire. C'était vraiment incroyable comme la technique de Wilfred ressemblait à celle de Ned.

Le gamin se dirigea tout droit sur une boucherie où il demanda une demi-livre de foie de bœuf. Quand il fut servi, il confia la barquette en carton à Michael.

— Prends ça, tu veux ? On va en avoir besoin tout à l'heure.

— Pas pour le petit déjeuner ? s'enquit Michael avec un regard dubitatif.

— Pas pour le nôtre, non, répondit Wilfred en sortant de la boutique.

Ils repartirent à travers Wimbledon en enfilant cinq ou six rues. Les maisons modernes de style Tudor alternaient avec de mornes immeubles de brique rouge dominant un tapis de pelouses d'un vert luxuriant. Bizarrement, cela rappelait à Michael Kansas City ou une banlieue des années vingt aux abords de n'importe quelle ville du Middle West.

Wilfred s'arrêta devant un terrain vague envahi de briques et de fragments de béton, tout ce qui restait d'une maison qui avait apparemment brûlé.

— Ils vont en construire une autre ici le mois prochain. Il ne reste plus beaucoup de temps à Dingo.

D'un pas agile, il s'avança parmi les décombres jusqu'à l'endroit où le tas de débris était le plus inextricable. Puis il claqua des doigts pour attirer l'attention de Michael.

— Quoi ? demanda celui-ci.

— Le *foie,* mec.

— Oh.

Michael tendit la barquette en carton à Wilfred, et le jeune homme en versa le contenu sur une pierre plate qui semblait avoir déjà servi à cet effet.

— Tu me fous les jetons, chuchota Michael.

— Chut !

Wilfred lui intima l'ordre de se taire en lui posant un doigt sur les lèvres.

— Attends.

Ils restèrent pétrifiés comme des statues au milieu des ruines.

— Viens là, Dingo, murmura Wilfred. Allez, bonhomme.

Michael entendit un bruit furtif sous les décombres. Puis une paire d'yeux luisants apparut dans une ouverture près de la pierre plate. Après quelques reniflements prudents, la créature se faufila dehors.

— Mince ! s'étonna Michael. C'est un renard ?

— Bravo.

— Qu'est-ce qu'il fait là ?

— Il y en a partout, dans Londres ! répondit Wilfred en haussant les épaules.

— À l'intérieur de la ville ?

— Partout où ils peuvent. Pas vrai, Dingo ?

Cinq mètres plus loin, le renard leva un instant les yeux, puis se remit à dévorer bruyamment son repas.

— Ils vont niveler le terrain le mois prochain, et Dingo va vraiment être emmerdé.

— Pourquoi tu l'appelles Dingo ?

— C'est comme ça qu'on appelle les chiens sauvages, en Australie.

— Ah.

— Je l'ai trouvé quand je bossais au fish'n'chips. Un jour, pendant ma pause déjeuner, je lui ai jeté un peu de poisson et il était tellement content qu'il s'est repointé le lendemain. Mais comme on m'a viré, je reviens le voir en métro quand je peux. Ça faisait longtemps. Je t'ai manqué, Dingo ? Hein ?

Ils regardèrent en silence le renard qui continuait à manger.

— Nous avons des coyotes, nous, en Californie, reprit Michael. Je veux dire... Parfois, ils viennent dans les villes aussi.

— Ah ouais ?

Michael hocha la tête.

— Ils s'attaquent aux poubelles, à Los Angeles. On les a vus traîner au beau milieu de Sunset Boulevard. Ils n'appartiennent plus au milieu sauvage et ils n'appartiennent pas non plus à la ville.

— Oui, ils sont pris au piège à cause de nos conneries. Ils le savent. Dingo le sait. Tout ce qu'il peut faire, c'est se planquer dans son trou en attendant que sa fin arrive.

— Tu ne pourrais pas... le tirer d'ici ?

— Pour l'emmener où, Einstein ? Personne n'a envie d'adopter un renard.

Il se tourna vers Michael, les yeux embués de larmes.

— Si je lui ai acheté quelque chose de super-bon aujourd'hui, c'est exceptionnel : je ne reviendrai plus. Nerveusement, je peux plus supporter ça.

Michael se sentait lui aussi flancher.

— On dirait que ça lui plaît, dit-il.

— Ouais. Ça te plaît, hein, Dingo ?

Wilfred souriait un peu en s'essuyant les yeux.

— Et toi ? fit Michael. Je peux t'inviter à prendre le petit déjeuner ?

— Bien sûr. Bien sûr, mec.

Et il jeta un dernier regard au renard qui détalait.

— Tu connais un endroit bien ? l'interrogea Michael.

— Ouais.

L'« endroit bien » se révéla une minuscule gargote grecque à deux rues du terrier du renard. Wilfred passa la commande pour eux deux, insistant pour prendre la spécialité de la maison : des œufs sur le plat avec des saucisses et des tomates chaudes. Tandis qu'ils mangeaient, la pluie se remit à tomber et recouvrit d'un vernis luisant le petit personnage en fer peint avec sa canne blanche dressé en sentinelle devant le restaurant.

— Je n'ai jamais rien vu de tel, avoua Michael. Les gens mettent de l'argent dedans, pour les aveugles ?

— Oui. Et il y en a aussi pour les chiens et les chats.

— Mais pas pour les renards, hein ? observa Michael avec un sourire compatissant.

— Non.

— Tu as déjà vu un vrai dingo ?

— Jamais. Mon grand-père m'en a parlé dans le temps, c'est tout.

— Il était... australien ?

— Abo, répliqua Wilfred. Tu peux dire le mot, mec.

— Qu'est-ce que ça veut dire ?

— Aborigène. Tu en as bien entendu parler, des Aborigènes ?

— Oh, oui... bien sûr.

Le gamin esquissa un sourire espiègle.

— Ceux-là, même les nègres peuvent les mépriser !

— Je ne suis pas très familier avec tout ça, reconnut Michael, brusquement mal à l'aise.

— Moi si !

Il coupa un morceau de saucisse et l'enfourna dans sa bouche.

— Ma grand-mère était hollandaise. Mon grand-père et elle ont quitté la ville de Darwin pendant la